Wolfgang Kuhn
Mit Jeans in die Steinzeit

Dieser Band ist auf 100% Recyclingpapier gedruckt. Bei der Herstellung des Papiers wird keine Chlorbleiche verwendet.

Wolfgang Kuhn, Dr. rer. nat., geboren 1928, studierte Botanik, Zoologie, Geographie, Chemie und Philosophie an der Universität Frankfurt. Nach Dozententätigkeit an den Pädagogischen Hochschulen Trier, Koblenz und Saarbrücken wechselte er 1978 als Professor an die Universität des Saarlandes, Saarbrücken. Wolfgang Kuhn ist Herausgeber viel beachteter wissenschaftlicher Publikationen sowie Verfasser und Moderator von Schulfunk- und Fernsehsendungen. Die Höhlen und Museen, auf die sich das vorliegende Buch bezieht, hat er jahrelang mit Studenten besucht und durchforscht.
Weitere Titel des Autors bei dtv junior: siehe Seite 4

Wolfgang Kuhn

Mit Jeans in die Steinzeit

Ein Ferienabenteuer in Südfrankreich

Mit Zeichnungen von Michael Olschowy

Deutscher Taschenbuch Verlag

Dieser Band erschien 1984 im Verlag Georg Bitter KG, Recklinghausen.

Zu diesem Band gibt es ein Unterrichtsmodell, enthalten in LESEN IN DER SCHULE (Sekundarstufen), unter der Bestellnummer 8102 durch den Buchhandel oder den Verlag zu beziehen.

Von Wolfgang Kuhn ist außerdem bei dtv junior lieferbar:
Die grüne Maske, dtv junior 70467

Bearbeitete Neuausgabe nach den Regeln der Rechtschreibreform
19. Auflage Juni 2000

www.dtvjunior.de
Umschlaggestaltung: Jorge Schmidt und Tabea Dietrich
Umschlagbild: Marlis Scharff-Kniemeyer
Gesetzt aus der Stempel-Garamond 11/12,5
Gesamtherstellung: Kösel, Kempten
(www.KoeselBuch.de)
Printed in Germany · ISBN 3-423-70144-7

Inhalt

Überraschung auf dem Bahnhof 9
Eine aufregende Enthüllung 15
Wie ein »Zwilling« entsteht 20
Monsieur Oscar sieht doppelt 30
Das Abenteuer beginnt 39
Eine wirklich große Höhle! 57
Die unheimliche Bildergalerie 73
Das darf doch nicht wahr sein 107
Isabelle ist verschwunden! 124
Ein Täuschungsmanöver 130
Ein grausiger Fund 145
Vinaigres große Stunde 157
Isabelles Urzeit-Abenteuer 170
Eine glückliche Wende 202
Wiedersehen mit einem alten Bekannten 218
Ein Telefonanruf mit Folgen 236

Für Isabelle und Suzanne,
Regis und Philippe
sowie dem Andenken
des treuen Jaquin

Überraschung auf dem Bahnhof

Puh, was für eine Hitze in diesem stickigen Zugabteil. Isabelle fuhr sich mit dem Handrücken über ihre Stirn und konnte nur mit Mühe ein Gähnen unterdrücken. Na ja, da soll einer auch nicht müde werden, bei diesem ununterbrochenen, eintönigen Ratata-ratata der Eisenbahn!

Wie lange fuhr sie jetzt eigentlich schon, seit ihre Eltern sie in Bordeaux in den Zug gesetzt hatten? Schließlich war gestern auch nicht gerade ein erholsamer Tag gewesen. In einem Stück im Auto von Paris bis Bordeaux, wo ihr Vater an einem Lehrerkongress teilnehmen musste – das war weiß Gott keine Kleinigkeit. Besonders, wenn man dabei ständig auch noch zwei kleinere Geschwister zu beschäftigen hat! Diese Plage war sie vorläufig einmal los – für vier herrliche Ferienwochen! Am Strand, wohin Mama mit den Kleinen vorausgefahren war, bis Papa endlich nachkommen konnte, waren sie leicht zu beaufsichtigen.

Isabelle war froh in diesem Sommer nicht fortwährend Burgen im Sand mit ihnen bauen und Unmengen von Muschelschalen sammeln zu müssen. Mit beinahe vierzehn Jahren möchte man ja schließlich auch einmal etwas ganz für sich allein unternehmen und da war die Einladung ihrer Verwandten aus Südfrankreich gerade recht gekommen. Außerdem hatte Isabelle ihre gleichaltrige Cousine Suzanne schon fast drei Jahre nicht mehr gesehen und natürlich ebenso wenig die beiden Vettern Regis, Suzannes jetzt dreizehnjährigen

Bruder, und Philippe, ihren gemeinsamen großen Cousin, der damals zwölf gewesen war und jetzt also schon fünfzehn sein musste. Und natürlich war da auch noch Philippes kleinere Schwester Cécile, die immer schon gern gepetzt hatte und nun auch schon sechs – oder gar sieben? – Jahre alt sein müsste.

Von Suzanne hatte sie erst kürzlich einen Brief erhalten. Eine wichtige Entdeckung war darin angekündigt worden, die aber streng geheim sei. Vor allem, so stand wörtlich darin, dürfe kein Erwachsener davon erfahren. Erst nach ihrer Ankunft würde Isabelle Näheres darüber hören – und auch das nur, nachdem sie feierlich Stillschweigen gelobt habe! Was Wunder also, dass sie schon ganz zappelig war vor lauter Neugierde? Eine geheimnisvolle Entdeckung! Diese Ferien fingen ja viel versprechend an. Isabelle merkte selbst gar nicht, wie sie ihre Backen aufblies und hörbar prustete. Diese grässliche Hitze! Ob der kleine, rundliche Typ auf dem Platz gegenüber wohl etwas dagegen hätte, wenn sie das Fenster ein wenig öffnete? Eigentlich müsste es ihm ja ebenso heiß sein oder sogar noch heißer in seinem vornehmen Anzug. Isabelle schaute ihn aufmunternd an. Musste das Buch aber spannend sein, in das er so unentwegt hineinschaute ohne dabei auch nur ein einziges Mal aufzublicken, wenn er darüber sogar die Hitze nicht bemerkte! Neugierig versuchte Isabelle einen Blick hineinzuwerfen und verrenkte sich fast ihren Hals dabei. Nein, ein Roman war das ganz gewiss nicht. Eher wohl etwas »Ernsthaftes«, wie Papa sagen würde – Wissenschaft oder so. Dafür sprachen die unverständlichen Zeichnungen und Tabellen.

Hatte sie etwa aus lauter Langeweile laut gedacht? Oder konnte ihr seltsamer Reisegefährte Gedanken lesen? Bei diesen Wissenschaftlern soll einer ahnen, wo er dran ist! Irgendwie sind sie unheimlich, ganz so, als könnten sie mit ihrer Brille durch alles einfach hindurchsehen und dabei die geheimsten Gedanken erkunden. Doch der Blick über die funkelnden Gläser der randlosen Brille war gar nicht streng – im Gegenteil. Der fremde Herr lächelte Isabelle freundlich an, lockerte mit seiner linken Hand etwas die Krawatte und stöhnte, als hätte er es tatsächlich über seinem spannenden Buch erst jetzt bemerkt: »Ist dir auch so warm? Wie wäre es, wenn wir unser Fenster herunterließen?«

»Aber bitte, gern«, beeilte sich Isabelle zu antworten und zog auch schon eifrig an den beiden Messinghandgriffen.

»Danke, vielen Dank«, sagte der Mann und Isabelle leistete ihm im Stillen Abbitte, weil sie ihn einen »Typ« genannt hatte. »Wenn man bedenkt, wie schauderhaft kalt es hier einmal war – da passt diese Hitze nicht einmal jetzt, mitten im August, zu der Landschaft!«

Isabelle musste wohl ein wenig verdutzt dreingeschaut haben, denn ihr Gegenüber beeilte sich gleich zu erklären: »Ich meine nur, weil doch diese Gegend hier ganz und gar von der Eiszeit geprägt ist. Siehst du dort drüben über dem Flussufer die tiefen, dunklen Nischen in den weißgrauen Kalkfelsen? Sie sehen aus wie Höhleneingänge. Aber in

Wirklichkeit sind es tatsächlich nur tiefe Nischen, man nennt sie hier auch Abris*; und darin haben damals die Menschen gehaust.«

Isabelle war aufgestanden und streckte den Kopf weit aus dem Fenster, so dass ihre Haare vom kühlenden Fahrtwind zerzaust wurden.

»Wann war das, bitte?«, wollte sie wissen.

»Die letzte Eiszeit ging vor etwa zwölftausend Jahren zu Ende«, erklärte ihr Reisegefährte. »Damals sah es hier etwa so aus wie heute in Lappland: Nur Flechten und Moos bedeckten den Boden, niedrige Büsche und ein paar Zwergbirken. Von den Pyrenäen im Süden und vom Zentralmassiv** im Nordosten schoben sich mächtige, bis zweihundert Meter hohe Gletscher weit in die Täler hinab.«

»Zwölftausend Jahre ist das jetzt her«, staunte Isabelle. »Bald tausendmal so lange, wie ich auf der Welt bin! Haben damals auch Tiere hier gelebt?«

»Das will ich meinen.« Der Mann lehnte sich in seinen Sitz zurück. »Aber natürlich ganz andere als heute! Riesige Mammute zum Beispiel, Elefanten mit einem zottigen Fell, das sie vor der eisigen Kälte schützte, dann die ebenso behaarten Wollnashörner, die Bisons, Auerochsen, Rentiere, Moschusochsen, Hirsche und viele andere. Sie alle wurden von unseren Vorfahren in der Eiszeit gejagt.«

* abri (französisch) = Schutz, Obdach, Deckung

** französisch: »Massif Central« = gebirgige Landschaft im mittleren und südöstlichen Frankreich

»Aber woher weiß man das denn alles?«, wunderte sich Isabelle.

»Nun, die Tiere wie auch die Menschen dieser Zeit haben uns ihre unverkennbaren Spuren hinterlassen. Die Tiere ihre Skelette, die Menschen ihre Gräber, ihre Waffen und Werkzeuge. In manchen unterirdischen Höhlen sogar herrliche, farbenprächtige Malereien, Bilder all der Tiere, die sie damals jagten. Forscher haben sorgsam Schicht für Schicht die Erde in den Höhleneingängen und unter den überhängenden Felsendächern der Abris abgetragen und genau untersucht. Dabei fanden sie Werkzeuge, Waffen und auch Schmuck neben allerlei Knochen. Je tiefer sie bei ihren Grabungen kamen, aus umso älterer Zeit mussten ihre Funde stammen. Wie in einem spannend geschriebenen Buch konnten sie so in den Schichten der Erde die ganze Geschichte der Menschen und Tiere während der Eiszeit nachlesen. Wenn du mal in die Stadt Les Eyzies* an der Vézère kommst, kannst du dir solche Funde im Museum anschauen. Wohin fährst du eigentlich?«

Nun war es an Isabelle ihre Ferienpläne samt allen Vorgeschichten zu erzählen – ausgenommen natürlich das große Geheimnis! Als sie den Namen des Dorfes nannte, in dem ihre Verwandten wohnten, stellte sich heraus, dass es gar nicht weit von Les Eyzies an der Vézère gelegen war – höchstens eine halbe Autostunde entfernt.

* Kleines Städtchen im Gebiet vieler vorgeschichtlicher Höhlen, »La capitale de la préhistoire« – »Die Hauptstadt der Vorgeschichte« – genannt.

»Übrigens sind wir gleich da«, meinte Isabelles neuer Freund. »Holen wir lieber jetzt schon deinen Koffer aus dem Gepäcknetz.«

Isabelle streckte wieder ihren Kopf aus dem Fenster. Wirklich tauchte hinter einem Hügel das spitze Dach des Kirchturms auf und dann erspähte sie auch schon die ersten Häuser aus hellem Stein. Der winzige Bahnhof war eigentlich nur ein Bahnsteig, daneben ein niedriges Häuschen. Davor aber standen drei Kinder und winkten ihr eifrig zu. »Fall mir nicht aus dem Fenster, bitte!«, mahnte der Mann, als sie sich noch weiter hinauslehnte um ebenso stürmisch zurückzuwinken. Doch da hielt der Zug auch schon mit quietschenden Bremsen. Sie hatte gerade eben noch Zeit »Dankeschön« und »Auf Wiedersehen« zu rufen, ihren Koffer hochzuhieven und die enge Wagentreppe auf den Bahnsteig hinunterzustolpern, direkt vor – ja, da soll einer keinen Schrecken bekommen!

So große Spiegel gibt es doch gar nicht auf einem gewöhnlichen Dorfbahnhof, schoss es Isabelle durch den Kopf. Spiegelbilder laufen übrigens auch nicht auf einen zu, haben niemals andere Kleider an und kürzere Haare auf dem Kopf. Aber da blieb auch das vermeintliche Spiegelbild ganz plötzlich stehen, als wäre es mitten im raschen Laufen gegen irgendetwas gerannt. Völlig perplex guckten sich die beiden Cousinen an. Sie starrten sich so sprachlos in die Augen, als hätte jede eine Geistererscheinung! Als dann aber die Jungen, die zuerst ganz genauso erstaunt und verdutzt Isabelle angeguckt hatten, fröhlich herausprusteten, mussten sie beide herzlich mitlachen.

»Man könnte meinen, ihr beide wärt Zwillinge«, rief Philippe, als sich die Kinder begrüßt hatten.

»Wenn Suzanne dir die Haare etwas kürzer schneidet, dann verwechselt euch beide sogar unsere Mutter«, meinte Regis, »das gäbe einen Heidenspaß!«

Allerdings: Sowenig wie die anderen konnte er in diesem Augenblick ahnen, dass eine Verwechslung der beiden Mädchen schon bald kein Scherz mehr sein sollte!

Eine aufregende Enthüllung

Auf dem engen, sandigen Platz hinter dem niedrigen Bahnhofsgebäude erwartete Isabelle eine neue Überraschung – sozusagen eine Überraschung auf vier Beinen und mit zwei absonderlich langen Ohren: ein leibhaftiges Maultier mit Namen Jeremias vor einem Kastenwägelchen, das vorn unter einer schmalen Sitzbank zwei niedere und hinten zwei größere Räder hatte. Mit einem kräftigen Schwung beförderte Philippe Isabelles Koffer in den Wagenkasten.

»Unser ›Zweitwagen‹«, erklärte er herablassend. Aber sein breites Grinsen verriet, dass dies wohl doch nicht ganz so wörtlich zu nehmen war. »Solange ich noch keinen Führerschein habe und Papas Lieferwagen nicht fahren darf, helfe ich in den Ferien und auch sonst mal mit Jeremias beim

Brotausfahren. Dagegen hat nicht einmal Monsieur Oscar, unser Gendarm, etwas einzuwenden, wenn er mir auf seinem klapprigen Fahrrad unterwegs begegnet.«

Philippes Vater, Onkel Henry, war Bäcker und lieferte Tag für Tag die »Flûtes« genannten langen Weißbrote auch in die umliegenden Dörfer. »Boulangerie H. Malfait« stand in großen Buchstaben über der Tür des Ladens, an dem sie bald vorüberholperten – und in der geöffneten Tür Onkel Henry selbst in seiner weißen Bäckerschürze, mit mehlbestäubten Armen und Händen, die Isabelle freundlich zuwinkten. Sie winkte zurück, denn jetzt gab es kein Halten, weil doch Suzannes Mutter schon auf den Ferienbesuch wartete und so mancherlei vorbereitet hatte. Außerdem war es ja auch noch ein gutes Stück Weg bis zu Suzannes Elternhaus hinter der Dorfapotheke, in der ihr Vater, der Apotheker Gérard Dumont, seine Salben rieb und hin und wieder sogar noch eigenhändig Pillen drehte. Es gab genug zu fragen und zu erzählen, aber am gespanntesten war Isabelle natürlich auf die in Suzannes Brief angedeutete geheimnisvolle Entdeckung! Sie konnte es kaum noch erwarten, bis ihre Cousine damit herausrückte.

»Du«, zischelte sie ihr auf dem Sitzbänkchen des kleinen Wagens zu, »was ist das für eine ›Entdeckung‹, von der du geschrieben hast? Wissen Regis und Philippe auch etwas davon?«

»Natürlich«, flüsterte Suzanne zurück. »Wir waren doch alle zusammen, sogar Jaquin war mit von der Partie!«

»Jaquin?«, wunderte sich Isabelle. »Noch ein Vetter?«

»I wo«, kicherte Suzanne. »Jaquin ist unser Hund. Nicht gerade ein Rassehund, mehr so eine Mischung aus Deutschem Schäferhund und ich weiß nicht was für einer anderen Sorte. Jedenfalls hat er einen viel zu breiten Kopf für einen Schäferhund und Schlappohren, und du musst einmal erleben, wie er sich abmüht, wenn er sie aufstellen will! Sein Schwanz ist außerdem aufgebogen, so ein bisschen geringelt, weißt du – und das darf bei einem Schäferhund ja eigentlich auch nicht sein. Aber dafür ist unser Jaquin auch ein ganz besonders gescheiter Kerl, wie die meisten Mischlinge – und treu! Ich bin wirklich gespannt, ob er gleich mit dir Freundschaft schließt, das tut er nämlich noch lange nicht mit jedem.«

»Aber jetzt lass mich doch bitte nicht noch länger vor Neugierde zappeln«, mahnte Isabelle. »Schließlich kann mir ja Jaquin nichts von der sagenhaften Entdeckung verraten!«

»Erst musst du aber feierlich schwören mit niemandem darüber zu reden«, rief Philippe, der mit Jeremias' Zügeln in beiden Händen vor ihnen auf der Kante des Wagens hockte, über seine Schulter. »Großes Ehrenwort!«

Isabelle hob feierlich ihre rechte Hand. »Ehrenwort«, beteuerte sie laut mit beschwörend tiefer Stimme. »Aber spannt mich bitte jetzt nicht mehr länger auf die Folter!«

»Also das war so«, begann Philippe. »Als wir vor zwei Wochen auf der anderen Seite des Flusses durchs Gelände streiften – wir, das sind Suzanne,

Regis, ich und Jaquin –, da fanden wir zwischen den Geröllsteinen unter einem Steilhang zwei Pfeilspitzen, eine Messerklinge und einen Schaber, alles aus Feuerstein zurechtgeschlagen. Es sind genau die gleichen Werkzeuge, wie wir sie schon im Museum in Les Eyzies gesehen haben! Dort sind sie alle hinter Glas ausgestellt und sie stammen auch sämtlich aus unserer Gegend hier. Die Menschen der letzten Eiszeit haben sie hergestellt und das bedeutet also, dass sie älter sein müssen als etwa zwölftausend Jahre.«

»Toll«, entfuhr es Isabelle. »Von dem Museum hat mir übrigens schon ein Mann im Zug erzählt, der sich da auskennt. Habt ihr denn euren Eltern nichts davon gesagt?«

»Um Himmels willen, nein!« Philippe hob entsetzt beide Hände mitsamt den Zügeln, so dass Jeremias erschreckt mit dem Kopf zurückzuckte und seine langen Ohren bedrohlich schlenkerten. »Onkel Gérard besitzt doch selbst eine kleine Sammlung von solchen Eiszeitfunden. Du kannst sie später in aller Ruhe betrachten, sie liegen im Schaufenster der Apotheke und sind sein ganzer Stolz, weil er die meisten davon selbst gefunden hat.«

»Ja, und?« Isabelle hob die Schultern. »Da hättet ihr ihm doch gerade eine Freude machen können mit eurer Neuentdeckung.«

»Klar«, bestätigte Suzanne, »aber dann wäre aus unserem großen Plan nichts geworden, weil er ganz bestimmt niemals erlaubt hätte, was wir vorhaben!«

»Nun sagt es endlich.« Isabelle konnte schon längst nicht mehr still sitzen auf der rüttelnden

Holzbank. Erwartungsvoll schaute sie auf ihre Cousine.

Suzanne begann zu erklären. »Pfeilspitzen, Harpunen, Messer, Schaber, steinerne Sägen und noch viele andere Waffen und Geräte werden hier immer wieder einmal durch irgendeinen Zufall gefunden. Eine Klassenkameradin von mir hat im vorigen Jahr mitten auf dem engen Fußweg zu einer Höhle mit Eiszeitmalereien ein schmales Stück Feuerstein aufgehoben und Monsieur Mathieu, unserem Geschichtslehrer, gezeigt. Der war außer sich vor Freude! Stell dir vor: Es war wirklich eine echte Feuerstein-Messerklinge! Jeder von uns durfte einmal ganz vorsichtig mit dem Zeigefinger über ihre Schneide fahren. Ich sage dir: Daran kannst du dich heute noch, nach mehr als zwanzigtausend Jahren, schneiden, wenn du nicht aufpasst!«

»Aber was hat das mit eurem Plan zu tun?« Isabelle wurde immer aufgeregter. »Jetzt rück schon endlich heraus damit!«

»Also: Ein einzelner Fund, so etwas kommt in unserer Gegend immer mal wieder vor, das sagte ich ja schon. Wenn aber gleich eine ganze Menge von Feuersteingeräten nebeneinander entdeckt werden, dann muss da irgendwo in der Nähe doch noch eine unbekannte eiszeitliche Wohnstätte oder sogar eine Höhle sein, die den Eiszeitmenschen als Unterschlupf und zum Bemalen ihrer Felswände gedient haben könnte und deren Eingang seit vielen Jahrtausenden verschüttet ist. Stell dir nur einmal vor, wenn wir die entdecken! Dann wären wir doch die Ersten, die sie nach so einer langen Zeit wieder betreten würden. Wir könnten sie ganz allein durchforschen und alle Fundstücke sammeln. Das gibt dann eine Überraschung, sag ich dir, wenn wir am Ende unsere Entdeckung melden!«

»Menschenskind, das ist ja toll! Eine richtige unterirdische Höhle, vielleicht sogar mit Tropfsteinen und einem Fluss oder See.« Isabelle rutschte vor Begeisterung auf dem Sitzbrett des Maultierwägelchens hin und her. »Und ihr lasst mich mitmachen?«

»Natürlich. Was glaubst du denn, weshalb wir sonst bis jetzt gewartet hätten? Unsere Ferien dauern ja schon über zwei Wochen! Aber Schluss jetzt damit, denk an deinen Eid! Da vorn steht Papa schon auf der Treppe und guckt uns entgegen. Wenn er auch nur die geringste Ahnung von der ganzen Geschichte hätte – du lieber Gott!«

Wie ein »Zwilling« entsteht

Die Apotheke war ein stattliches, altes Gebäude mit zwei großen Schaufenstern und die breite Tür mit ihrem geschnitzten Holzrahmen dazwischen füllte Monsieur Dumont in seinem weißen Laborkittel fast ganz aus. Auch sonst, fand Isabelle, sah er ihrem schlanken Vater, seinem leiblichen Bruder, nicht gerade ähnlich. Allein schon wegen der beginnenden Glatze, um die herum sich die bereits leicht ergrauten Haare kräuselten. Aber seine

Augen lächelten ihr freundlich entgegen. Behände sprang Isabelle vom Wagen und lief mit einem freundlichen »Guten Tag, Onkel Gérard« auf ihn zu. Er beugte sich ihr entgegen, so dass sie ihn erst auf die eine, dann auf die andere Wange küssen konnte. Doch dann schob er mit einem Ruck seine Brille auf die Stirn hoch, packte Isabelle mit beiden Händen an ihren Schultern, schubste sie ein wenig von sich fort und betrachtete seine Nichte mit verdutztem Gesicht. »Nanu! Hast du so etwas schon einmal gesehen?« Erwartungsvoll blickte er zu seiner Tochter Suzanne hinüber, nachdem er durch ein leichtes, eingeübtes Runzeln der Stirn seine Brille wieder glücklich auf die Nase platziert hatte. »Ihr beide gleicht euch ja wie ein Ei dem anderen! Wenn du dir deine Haare nur ein klein wenig kürzer schneiden lässt, Isabelle, dann kann euch kaum jemand auseinander halten. Vorausgesetzt, du teilst Suzannes Vorliebe für verwaschene, alte Jeans! Da wird deine Tante aber Augen machen. Sie wartet schon ganz ungeduldig drüben im Haus. Rasch, lauft zu ihr, ich komme später nach, wenn ich für heute Schluss mache. Dann musst du aber erst mal von zu Hause erzählen! Regis, komm, sei mal ausnahmsweise ein Kavalier und trage deiner Cousine den Koffer aufs Zimmer.«

Regis gehorchte, auch das übrigens ausnahmsweise, aufs Wort – vor allem natürlich, weil er selbst gespannt war, was seine Mutter wohl zu den »Zwillingen« sagen würde! Schnaufend zerrte er Isabelles Koffer aus dem Wagenkasten und schleppte ihn über den gepflasterten Hof. Suzanne hatte einen der beiden schweren schmiedeeisernen Torflügel

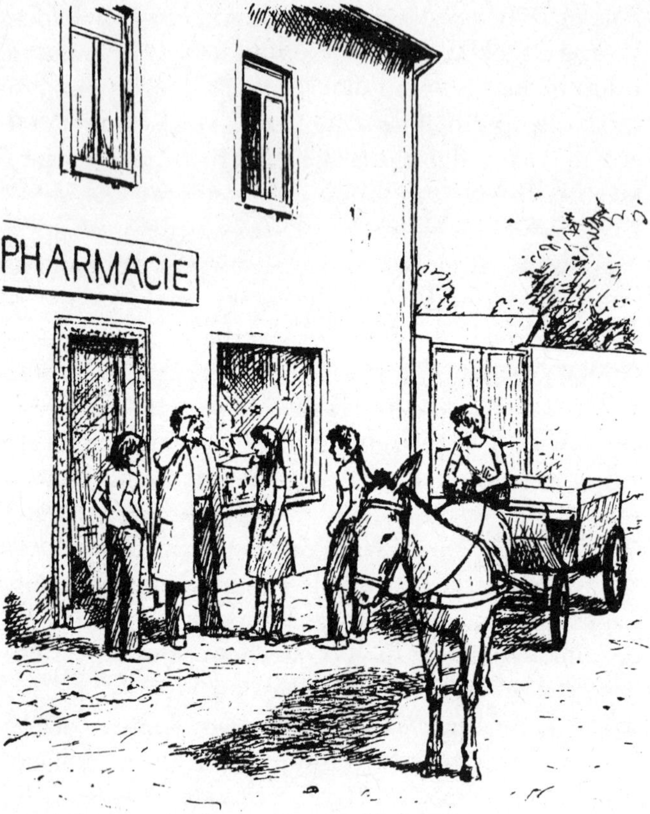

schon geöffnet, Isabelle an der Hand gefasst und beide Mädchen liefen auf das ein wenig weiter zurückstehende Wohnhaus der Familie Dumont zu.

»Also dann bis morgen, wenn ich mein Brot ausgefahren habe«, konnte ihnen Philippe gerade noch nachrufen. Da schwang der Torflügel auch schon zurück und das altertümliche, große Türschloss schnappte mit einem lauten Knall zu.

»Allons!«, schrie Philippe Jeremias in die langen

Ohren und versetzte ihm einen leichten, freundlich-aufmunternden Schlag mit der Peitsche aufs Hinterteil, so dass das aufgeschreckte Maultier ganz überhastet anzog und davontrabte, während der nun leere und seiner Bürde ledige Kastenwagen polternd hinter ihm her über das grobe Straßenpflaster hüpfte.

Drinnen im Haus aber gab es eine stürmische Begrüßung. Ja, Suzannes Mutter staunte, wie erwartet, nicht minder als ihr Mann über die verblüffende Ähnlichkeit der beiden Cousinen. »Natürlich habe ich das schon gehört«, meinte sie lachend, »dass sich Cousinen oder Vettern manchmal ähnlicher sehen als Geschwister. Aber so recht glauben wollte ich das bisher denn doch nicht. Na, ihr zwei habt mich jedenfalls restlos davon überzeugt! Jetzt zeig Isabelle aber euer Zimmer, Suzanne, und wenn ihr ausgepackt und alles im Haus genügend betrachtet habt, dann gibt's ein besonders gutes Abendessen als Empfang für unsere Isabelle!«

Suzanne stürmte davon, die knarrende Holztreppe hinauf und einen geräumigen Flur entlang, an dessen Ende sie eine Tür aufstieß. »Voilà«, rief sie mit einer einladenden, betont großspurigen Geste, »unser gemeinsames Reich für die nächsten vier Wochen!«

Neugierig drängte sich Isabelle an ihr vorbei in das gemütlich eingerichtete Zimmerchen. Bestimmt würde sie sich hier wohl fühlen, ganz wie zu Hause – das spürte sie sofort. Allerdings: Suzanne hielt anscheinend eine weit bessere Ordnung in ihrem Zimmer und mit all ihrem Krimskrams als sie daheim. Ihre Bücher standen in Reih und Glied nebeneinander auf einem Wandregal und sogar die Schreibutensilien lagen nicht einfach so neben- und durcheinander auf dem zierlichen Schreibtisch, sondern waren säuberlich geordnet.

Isabelle begutachtete selbstverständlich auch fachmännisch Suzannes Toilettentisch in der Ecke unter einem großen Spiegel, und als sich die Blicke der beiden Mädchen darin trafen, mussten sie doch tatsächlich selbst über ihre verblüffende Ähnlichkeit lachen.

»Weißt du was?«, rief Suzanne und der Schalk blitzte aus ihren Augen. »Setz dich rasch mal da auf den Hocker.« Und schon hatte sie der ganz und gar überrumpelten Isabelle ein Handtuch über die Schultern geworfen, eine Schublade des Toilettentischchens aufgezogen, kurz hineingefasst und hielt nun einen Kamm und eine Schere in den Händen, mit der sie unternehmungslustig über Isabelles Kopf klapperte. Der wurde allmählich klar, was ihre Cousine mit ihr vorhatte. »Aber bitte nicht zu kurz«, flehte sie, »es dauert dann so lange, bis sie wieder nachgewachsen sind.«

»Klar, ich gebe schon Acht! Sie dürfen ja auch gar nicht kürzer sein als meine Haare – und jetzt halt bitte still, wenn die Ohren dranbleiben sollen. Übrigens brauchst du keine Angst zu haben«, beruhigte sie Suzanne, während sie eifrig mit Kamm und Schere hantierte. »Ich habe nämlich Übung. Manchmal, wenn's besonders eilt, schneide ich der ganzen Familie die Haare!«

Gespannt beobachtete Isabelle im Spiegel, wie sie ihrer Cousine mit dem Fallen einer jeden langen Haarsträhne immer noch ähnlicher wurde.

»Hast du eigentlich auch Jeans mit?«, wollte Suzanne wissen.

»Was glaubst du denn – meinst du vielleicht, ich will im Kleid mit euch durch die Felsen und das Gestrüpp unten am Fluss streifen?«

»Dann zieh sie mal rasch an. Ein T-Shirt wie meines, das ich gerade anhabe, kannst du von mir bekommen, ich hab ein paar von der Sorte – und dann soll uns mal einer auseinander halten!«

Im Handumdrehen hatte sich Isabelle umgezogen und Suzanne stellte befriedigt fest: »Ja, jetzt brauchen wir eigentlich gar keinen Spiegel mehr; es genügt, wenn wir uns gegenseitig anschauen. Herrschaften, bin ich gespannt, was die liebe Familie sagt, wenn wir beide so nebeneinander die Treppe herunterkommen! Aber jetzt guck dir erst noch die Gegend an, in der wir hoffentlich bald unser großes Abenteuer erleben. Bin ich froh, dass es jetzt endlich losgehen kann!«

Sie riss das Fenster auf. Dicht neben seinem Rahmen war eine starke Blitzableiterleitung vom Dach nach unten gezogen bis zum Fuß eines alten Holzschuppens, der direkt unter dem Fenster im Garten stand. In einem recht üppig wuchernden Garten übrigens, mit Beeten voller Gemüse, vielen alten Obstbäumen, Blumenrabatten und einem schon reichlich morschen Holzzaun, zwischen dessen Brettern hier und da bereits breite Lücken klafften. Aber das Schönste für Isabelle, die so etwas von der Großstadt her ja überhaupt nicht kannte, war doch, dass es jenseits dieses verfallenen Zaunes kein einziges Haus gab! Das Gelände, mit Gras und Büschen bedeckt, fiel ganz allmählich bis zum schilf- und röhrichtbestandenen Flussufer ab, das streckenweise von hohen, schmalen Pappeln gesäumt war. Eine altersgraue Steinbrücke wölbte sich mit mehreren Bögen auf stämmigen Pfeilern über den nur träge dahinströmenden Fluss. Auf seiner in der Abendsonne spiegelnden Oberfläche schwammen ganze Rasen von grünen, weißblütigen Wasserpflanzen.

Das gegenüberliegende Ufer war beträchtlich steiler und auch dort standen keine Häuser mehr. Dafür wäre allerdings kaum noch ausreichend Platz vorhanden gewesen, denn das jetzt im August nur noch mit dürrem Gras, Heidekraut und niedrigen Sträuchern überwucherte Gelände, übersät von weißgrauen Steinblöcken und Kalkfelsen, stieg schräg bis zum Fuß steil aufragender Felswände an. Es waren die gleichen, die Isabelle schon vom Zug aus bestaunt hatte – mit tiefen Nischen unter weit überhängenden Decken, den bevorzugten »Abris« der Eiszeitmenschen, wie ihr der Mann im Zug erklärt hatte.

»Schau mal dort drüben«, rief Isabelle, »das sieht ja gerade so aus, als hätten die Menschen früher, in der Steinzeit, genau wie heute in einem ganz modernen Hochhaus in Stockwerken übereinander gewohnt!«

»Nein, das sieht wirklich nur so aus«, stellte Suzanne richtig. »Mit deinen ›Stockwerken‹ hast du ja Recht, aber die waren nicht schon immer da, sondern sind erst allmählich nacheinander entstanden, als Flussterrassen.«

»Flussterrassen?« Isabelle staunte. »Ja, wie entsteht denn so etwas?«

»Na hör mal, du hast doch bei euch in der Schule sicher auch schon davon gehört, dass sich jeder Fluss sein Bett selbst gräbt. Er schneidet sich mit der Zeit immer tiefer in die Erde und, wenn es nur lange genug dauert, sogar in Gestein ein. Er spült alles Lockere mit sich fort und durchsägt selbst die dicksten Felsen, wenn er viele tausend Jahre ständig Steine darüber hinwegrollt. In der Eiszeit gab es zwischendurch immer mal wieder wärmere Perioden, da war das Klima ungefähr so wie heute. Dann schmolzen die Gletscher und das ganze Schmelzwasser strömte durch die Flussbetten zum Meer. Deshalb gruben sich diese Flussbetten in den ›Zwischeneiszeiten‹, wie man diese Wärmeperioden nennt, immer wieder ein ganzes Stück tiefer ein – und dabei entstand dann nach und nach eine Flussterrasse über oder eigentlich genauer unter der anderen.«

»Dann wären also die allerobersten mit ihren Felsennischen die ältesten und die tiefer gelegenen stammen aus jüngerer Zeit?«, staunte Isabelle. »Woher du das nur alles weißt!«

»Kunststück«, meinte Suzanne abwehrend. »Wenn man mitten in so einer Gegend lebt, was glaubst du, was man dann allein schon in der Schule alles darüber hört? Erst recht natürlich an unseren Schulwandertagen, denn da wird immer wieder eine neue Höhle besichtigt. Regis' Lehrer hat immer noch nicht die Hoffnung aufgegeben, selbst einmal eine bis jetzt unbekannte Höhle zu entdecken. Stell dir vor, die würde dann wahrscheinlich nach ihm benannt! Übrigens...« Suzanne legte Isabelle den Arm um die Schulter, beugte sich weit aus dem Fenster und zog dabei ihre Cousine mit sich. »Schau mal dort, etwas links von der letzten hohen Pappel.« Ihr ausgestreckter Arm wies über den Fluss. »Kannst du den großen Felsbrocken da sehen, direkt unter dem Hang? Nein, nicht dort, noch etwas weiter links, den neben einem besonders hohen Ginsterstrauch?«

Jetzt hatte Isabelle die Stelle gefunden. »Ja«, fragte sie, »was ist denn an dem Besonderes dran?«

»Vergiss nicht, was du geschworen hast«, erinnerte sie Suzanne abermals. Ihre Stimme klang auf einmal ganz fremd – so richtig feierlich. »Nicht weit davon, nur von hier aus durch eine Felsnase verborgen, liegt die Stelle, an der wir die Steinwerkzeuge gefunden haben! Da fangen wir morgen auch mit der Suche an. Aber wart mal.« Suzanne sprang auf, lief zu ihrem Bücherregal, kramte kurz zwischen den Bänden herum und reichte Isabelle dann ein schon reichlich zerlesenes Buch.

»Da, wenn's dich interessiert, darin findest du alles, was du über die Eiszeitmenschen und ihr Leben wissen willst. Am spannendsten ist natürlich immer die Geschichte ihrer Entdeckung – ich meine die Entdeckung ihrer Wohnnischen, Gräber, Höhlenbilder und so. Da staunst du, was die alles nur aus Stein und Holz angefertigt haben, wie sie die Wände der unterirdischen Höhlenkammern mit Farben bemalt haben und ihre Toten begruben. Denen haben sie sogar alle Waffen mitgegeben, den Frauen ihren Schmuck und ihre Amulette!«

Aber Isabelle hörte schon gar nicht mehr zu. Sie hatte das Buch auf ihren Knien liegen, die Ellbogen daraufgestützt und blickte, den Kopf zwischen den Händen, wie gebannt auf die Fotos und Zeichnungen.

»Einfach toll«, rief sie laut, »das ist ja spannend wie ein Krimi!«

»Muss es ja auch«, erwiderte Suzanne, »schließlich wurde von den Eiszeitforschern, genau wie von den Kommissaren in unseren Fernsehkrimis, nur aus wenigen Fundstücken alles über das Leben und die Bräuche der Eiszeitmenschen ausgeknobelt.«

»Nur noch eine einzige Frage, bevor wir endgültig hinuntergehen.« Isabelle, die noch einmal aus dem Fenster geschaut hatte, betrachtete besorgt den Blitzableiter. »Ist das Ding eigentlich nicht gefährlich, so nah am Fenster?«

»I wo!« Suzanne musste lächeln über so viel Ängstlichkeit. »Hier hat noch niemals ein Blitz eingeschlagen. Der sucht sich dafür lieber eine der alten Pappeln da unten am Flussufer aus. Die sind doch höher als unser Haus. Nein, der Blitzableiter hier hat, wenigstens für mich, eine viel wichtigere Aufgabe zu erfüllen.«

Als sie Isabelles verständnislosen Blick sah, meinte Suzanne verschmitzt: »Das ist mein ›Notausgang‹, wenn ich mal ungesehen aus dem Haus möchte. Man kann sich nämlich daran wie an einer Strickleiter ganz leicht aufs Schuppendach hinunterhangeln und von dort weiter bis auf den Boden – zurück geht's beinahe ebenso leicht!«

Ob die beiden wohl ebenso verschwörerisch bei

dieser Eröffnung gelacht hätten, wenn ihnen auch nur entfernt geschwant hätte, welche Rolle Suzannes »Notausgang« in ihrem Eiszeit-Abenteuer schon recht bald spielen sollte?

Monsieur Oscar sieht doppelt

Natürlich wurde Isabelles »Verwandlung« zur zweiten Suzanne beim Abendessen eine gelungene Überraschung. Die allgemeine Heiterkeit war kaum zu bändigen, wenn Suzannes Mutter versehentlich ihre eigene Tochter mit Isabelle anredete.

Als die beiden endlich zu Bett gegangen waren, konnte sich Isabelle noch lange nicht von dem Buch über die Entdeckungsgeschichte der Eiszeitmenschen trennen, trotz aller Müdigkeit nach ihrer anstrengenden Reise. Erst als der Mond schon hoch über den Wipfeln der Pappeln stand, löschte sie das Licht.

Am nächsten Morgen schien die Sonne bereits voll ins Zimmer, als Isabelle erwachte. Noch ganz schlaftrunken blickte sie sich verwundert um, bis es ihr wieder einfiel: Ich bin ja in Ferien! Suzannes Bett war leer. Sicher ist sie schon unten, dachte Isabelle, und alle warten mit dem Frühstück nur auf mich Langschläferin!

So rasch wie möglich machte sie sich fertig und schlüpfte wieder in das »Zwillingskostüm«. Da-

mit, so wenigstens war es geplant, wollten sie während des Vormittags, da wegen Philippe das große Abenteuer noch nicht beginnen konnte, alle Bekannten und die Leute im Dorf verblüffen! Erst nach dem Frühstück fiel Isabelle etwas ganz anderes ein. »Weißt du, dass wir gestern vor lauter Erzählen etwas ganz Wichtiges vergessen haben?«, fragte sie Suzanne vorwurfsvoll.

»Nein, wieso, was denn vergessen?«

»Du wolltest mir doch zeigen, was ihr da am Fuß eurer Felswand auf der anderen Flussseite gefunden habt!«

»Ach du liebe Zeit!« Suzanne schlug sich mit der flachen Hand gegen die Stirn, dass es klatschte. »Das habe ich durch all die vielen Begrüßungen, das Auspacken und Erzählen total verschwitzt. Komm, das holen wir sofort nach.«

Sie packte Isabelle am Handgelenk und zerrte sie hinter sich her durch den langen Hausflur bis zu einer Tür, die sich direkt in den Garten öffnete.

»Nanu«, wunderte sich Isabelle, »hast du die Sachen denn nicht in unserem Zimmer?«

»Wo denkst du hin? Vorläufig darf doch kein Mensch etwas davon erfahren. Wir haben dir doch gestern genau erklärt, warum. Stell dir vor, meine Mutter würde unseren ›Schatz‹ beim Staubwischen entdecken, dann wär's aus mit all den schönen Plänen.«

Während ihrer letzten Erklärungen hantierte Suzanne bereits an dem schwerfälligen, verrosteten Riegel, der die Tür des Holzschuppens versperrte. Endlich gab er mit einem kreischenden Misston nach und die Tür ließ sich quietschend öffnen. Im Inneren war es trotz der Sonne, die draußen von

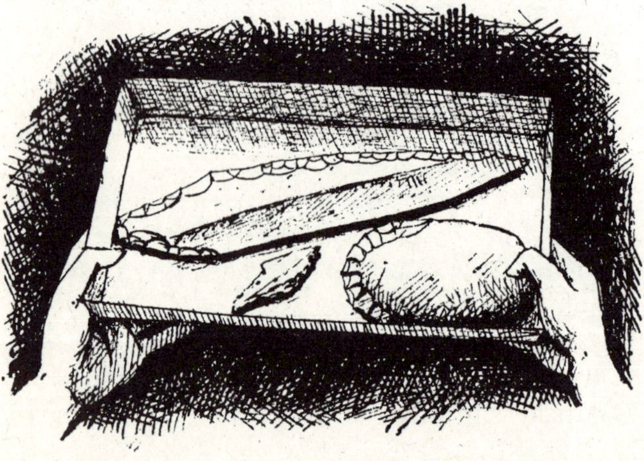

einem strahlend blauen Himmel lachte, dämmrig und modrig feucht. Suzanne musste Isabelle wieder an der Hand führen, bis in die hinterste Ecke des altersschwachen Bauwerks, um allerhand Gerümpel und Gartengeräte herum. Dort rückte sie einen morschen Balken etwas zur Seite und zog einen Karton zum Vorschein. »Komm, dort in die andere Ecke.« Unwillkürlich hatte Suzanne ihre Stimme zu einem Flüstern gesenkt, obwohl doch eigentlich niemand die beiden Mädchen hier hören konnte. Allenfalls Regis, vor dem man nirgends sicher war, wie seine Schwester behauptete. Aber der war ja schließlich in das Geheimnis eingeweiht. Suzanne hielt die Schachtel in den verirrten Sonnenstrahl, der durch ein Astloch in einem der Wandbretter fiel und in dem unzählige winzige Staubkörnchen tanzten. Unter andächtigem Schweigen öffnete sie langsam den Deckel.

Da lagen sie, die Fundstücke, von denen sich die Kinder so viel erhofften! Isabelles weit aufgerissene Augen begannen zu glänzen, als Suzanne eine der zierlichen Pfeilspitzen behutsam zwischen Daumen und Zeigefinger packte und in dem Lichtstrahl aufblitzen ließ.

»Fühl mal, wie scharf die Spitze und die Schneiden noch sind«, forderte sie Isabelle auf. »Damit könnte ein geschickter Bogenschütze heute noch Wild töten – und das nach mehr als zwanzigtausend Jahren!«

Isabelle nahm die Pfeilspitze vorsichtig in die Hand. »So lange liegt die nun schon in der Erde?«, wunderte sie sich. »Natürlich, warum nicht? Stein kann ja auch nicht rosten!« Suzanne legte die

Pfeilspitze wieder in das Kästchen zurück. »Und der Feuerstein oder ›Silex‹ ist außerdem besonders hart, härter als Glas, da man damit wie mit einem Glasschneider-Diamanten ritzen kann.«

»Woher hatten eigentlich die Menschen der Eiszeit den Feuerstein?«, fragte Isabelle. »Ich dachte, den findet man immer nur am Strand!«

»Ach was«, erwiderte Suzanne leicht verächtlich. »Feuerstein kannst du hier in großen Knollen überall mitten im Kalkstein steckend finden. Die Eiszeitmenschen brauchten sich nur geeignete Stücke aufzulesen und sie dann an einem größeren Brocken wie an einem Schmiedeamboss erst einmal grob zurechtzuschlagen. Die Feinarbeit musste danach natürlich durch vorsichtiges Absplittern und sogar Abdrücken von winzigen Schüppchen mit Hilfe von anderen Steinen, Tierknochen oder einem Holzstab ausgeführt werden. Da, schau, an dem langen Steinmesser kannst du es besonders gut sehen, wie sorgfältig der alte ›Steinschmied‹ gearbeitet hat.«

Isabelle hob das schmale und dünne Feuersteinmesser fast ehrfürchtig aus dem Kästchen und ließ ihren Zeigefinger prüfend über seine Schneide gleiten. »Autsch!« Verdutzt betrachtete sie die Fingerspitze, auf der ein glänzender Blutstropfen erschien. Schnell leckte sie ihn ab. »Da kann man sich ja dran schneiden wie an einem Rasiermesser!«

»Siehst du? Die Kanten sind derart fein bearbeitet, dass sie wirklich eine rasiermesserscharfe Schneide abgeben. Und vergiss nicht: Feuerstein ist sogar noch härter als Stahl!«

Isabelle untersuchte die Klinge, den blutenden

Finger noch immer im Mund, genauer. »Die abgeschlagenen oder abgedrückten Steinschuppen, oder besser gesagt die Vertiefungen, sehen aus wie Muscheln«, nuschelte sie.

»Ja«, erklärte Suzanne, »das ist eben so beim Feuerstein, daran kann man ihn übrigens auch erkennen und von anderen Steinen leicht unterscheiden... Guck mal hier.« Sie nahm einen gröberen, etwa faustgroßen Feuersteinbrocken aus der Schachtel und hielt ihn Isabelle dicht vor die Augen. Er war auf seiner Unterseite flach, auf der Oberseite dagegen gewölbt und seine Kante war nur auf der einen Seite durch zahlreiche muschelförmige Vertiefungen dicht nebeneinander ebenfalls zu einer messerscharfen Schneide verdünnt.

»Kannst du dir vorstellen, was damit gemacht wurde? Bitte – jetzt hast du mal Gelegenheit, wie ein Detektiv aus Spuren auf eine Tätigkeit zu schließen – ganz folgerichtig!«

Isabelles Stirn legte sich unwillkürlich in tiefe Falten. »Ich kenne aber kein Werkzeug, das so ähnlich aussieht und heute von irgendjemand benutzt wird«, meinte sie ratlos. »Wie soll ich dann herausfinden können, wozu dieses komische Messer vor mehr als zwanzigtausend Jahren einmal gedient haben kann?«

»Das ist kein Messer«, berichtigte Suzanne, »sondern ein Schaber, also eher eine Art Hobel. Es gibt eben doch auch heute noch ein Werkzeug, das man mit dem alten hier vergleichen kann! Übrigens wurde der Steinhobel so in der Hand gehalten.« Dabei umschloss sie den stumpfen, klobigen Teil des bearbeiteten Feuersteins mit einer Hand so, dass seine scharfe Schneide zwischen Daumenballen und Fingern hervorschaute. »Wenn man ihn so kräftig über die Innenseite eines frisch abgezogenen Tierfelles zog, immer die scharfe Kante dicht an der Haut, dann wurden alle Fleischreste sauber abgeschabt. Dann haben die Eiszeitmenschen diese Häute irgendwie haltbar gemacht, gegerbt oder so, und mit Tiersehnen zu Kleidern zusammengenäht.«

»Aber woher will man das jetzt schon wieder so bis ins Letzte genau wissen?«, widersprach Isabelle. »Ich habe doch schon gesagt, es gibt heute bei uns so ein Werkzeug nicht – wenigstens nicht für die Bearbeitung von Fellen.«

»Natürlich nicht, schließlich leben wir ja auch, lass mich rasch mal nachrechnen, mindestens 600 Generationen später, wenn man eine Generation mit 33 Jahren ansetzt. Aber es gibt doch auch in unserer Zeit noch Menschen, die genau wie in der Steinzeit leben und überhaupt kein Metall kennen. Irgendwo ganz tief im Inneren von Afrika, in der Südsee und auf irgendwelchen Inseln, was weiß ich, wo sonst noch. Die benutzen ganz ähnliche Werkzeuge und daher weiß man, wie die Eiszeitmenschen solche Schaber wie unseren hier wahrscheinlich auch benutzt haben.«

Isabelle staunte. »Auf die Idee wäre ich nicht gekommen«, gab sie offen zu. »Als du gestern behauptet hast, die Erforschung der Eiszeitmenschen und ihrer Lebensgewohnheiten hätte ziemlich viel mit der Arbeit von Kriminalbeamten gemeinsam, da meinte ich, du wolltest das alles nur ein bisschen abenteuerlicher machen. Aber du hast tatsächlich Recht! Ich glaube, man nennt so etwas wie deinen Beweis für die Benutzung der Schaber vor Gericht einen ›Indizienbeweis‹. Man weiß irgendetwas nicht mit letzter Sicherheit, aber es deutet eben alles darauf hin, dass es so und nicht anders gewesen ist.«

Suzanne hatte in der Zwischenzeit den Karton wieder geschlossen und in seinem Versteck untergebracht. Als der Balken zurechtgerückt und die Sägespäne auf dem Boden sowie der Staub durch Wedeln mit einem Taschentuch gleichmäßig verteilt waren, konnte gewiss niemand mehr aus irgendwelchen verdächtigen Spuren auf einen hier verborgenen »Schatz« schließen.

Als Suzanne langsam die quietschende Schuppentür aufdrückte und durch den Spalt lugte um zu sehen, ob die Luft rein war, fuhr ihr Kopf sofort wieder zurück. »Du«, wisperte sie Isabelle zu, »dort drüben hinter dem Gartenzaun – siehst du das?«

Isabelle schob sie ungeduldig zur Seite und spähte hinaus. »Da schiebt einer sein Fahrrad, wahrscheinlich hat er einen Platten! Wart mal – ist das vielleicht euer Dorfpolizist?«

»Klar, wir haben hier nur diesen einen, unseren Monsieur Oscar – so nennen ihn alle. Komm, den wollen wir mal ein wenig auf den Arm nehmen. Traust du dich? Ich renne links ums Haus herum, erst da vorn durch das Loch im Zaun – und du saust los und hinter mir her, wenn du mich um die Ecke verschwinden siehst.«

»Na und?« Isabelle schaute verständnislos.

»Jetzt frag nicht noch lange. Du wirst schon

sehen. Auf los geht's los!« – Und schon war Suzanne gebückt durch den schmalen Durchschlupf und Sekunden später um die Hausecke geflitzt. »Bonjour, Monsieur Oscar«, rief sie in vollem Lauf dem Dorfpolizisten zu. Der hatte kaum Zeit zu einem freundlichen Antwortnicken, als Suzanne auch bereits um die andere Ecke verschwunden war. Doch fast im gleichen Augenblick riss er seine runden Augen verblüfft ganz weit auf. Unwillkürlich stieß er hörbar die Luft zwischen den Zähnen aus, die weiß unter dem schwarzen Schnauzbart hervorblinkten. Mit gewohnter Geste griff er sich in den gleichermaßen pechschwarzen Spitzbart, als Isabelle an ihm vorübersauste und ebenfalls »Bonjour, Monsieur Oscar« rief. Er fuhr so rasch herum um ihr nachzublicken, dass seine kurze Pelerine über der dunkelblauen Polizistenuniform, die er korrekterweise nicht einmal an einem sonnigen Tag wie diesem zu Hause ließ, einen flotten Schwung erhielt.

Was war denn nun das? Wie in aller Welt kann ein dreizehnjähriges Mädchen derart schnell um ein ganzes Geviert rennen? Doch kaum war Isabelle verschwunden, da fegte Suzanne bereits wieder um die untere Ecke!

Monsieur Oscar strich sich mit der Hand über die Augen, denen er nicht mehr trauen wollte. Aber es sollte noch viel schlimmer kommen. Als er sie nämlich wieder öffnete, standen – zwei Suzannes vor ihm und sagten gleichzeitig noch einmal »Bonjour, Monsieur Oscar!«, bevor sie sich vor Lachen prustend endgültig davonmachten.

»Ich hätte doch auf meine Frau hören sollen,

verflixt noch mal«, murmelte der Polizist kopfschüttelnd vor sich hin, rückte das Koppel zurecht und prüfte mit zwei Fingern den richtigen Sitz seiner Dienstmütze, bevor er sein keineswegs plattes Fahrrad bestieg. »Bei diesem Wetter sollte ich wirklich nicht mehr als einen, höchstens zwei Pastis am Vormittag trinken – sonst fange ich am Ende noch an mein eigenes Fahrrad doppelt zu sehen.«

Als sie sich hinter einer Hecke genügend ausgeschüttelt hatten vor Lachen, meinte Suzanne: »Die Generalprobe hat prima geklappt, das war wirklich Spitze!« Isabelle, die immer noch ein wenig gluckste, wollte wissen, wie sie das meine. »Na, überleg doch mal«, erklärte Suzanne, »wenn ein Polizist, so ein scharfer Beobachter, nicht merkt, dass wir zwei nicht dieselbe Person sind – dann können wir erst recht alle anderen damit hinters Licht führen! Kinder, das kann vielleicht lustig werden!«

Das Abenteuer beginnt

Isabelle hatte abends noch ein wenig in dem Buch über das Leben der Eiszeitmenschen gelesen und im Bett mit Suzanne noch bis zum Einschlafen über ihre bevorstehende Suche nach der Höhle gesprochen.

»Wahrscheinlich ist der Eingang schon vor vielen tausend Jahren durch herabfallende Steinbrocken verschüttet worden. Das war bei allen berühmten Höhlen so – wenigstens steht das in dem Buch.«

Suzanne gähnte. »Na ja, ist ja schließlich auch gut, sonst gäbe es ja für uns nichts mehr zu entdecken. Eine offene Höhle, in die jeder einfach so hineinspazieren könnte, das wäre absolut nichts Aufregendes mehr.«

»Aber wie sollen wir einen Eingang finden, wenn da schon so lange Zeit Steine und Erde darüber liegen? Dann sind doch längst auch Pflanzen, vielleicht sogar hohe Bäume auf der Stelle gewachsen und sie unterscheidet sich überhaupt nicht mehr von der ganzen übrigen Umgebung.«

Suzanne kuschelte sich bequem zurecht. »Ach, weißt du, irgendetwas wird uns schon einfallen. Regis kennt alle Entdeckungsgeschichten auswendig, der kann sie uns morgen mal erzählen. Vielleicht passt irgendeine davon ganz besonders auf unsere Gegend.«

Jetzt, am hellen Nachmittag, war es endlich so weit. Philippe hatte alle seine langen Weißbrote ausgefahren, den treuen Jeremias ausgeschirrt, ein wenig glatt gestriegelt und dann mit einem Klaps auf sein Hinterteil in die eingezäunte Weide hinter der Bäckerei entlassen. Da konnte er gemächlich grasen und sich von der weiten Fahrt am Vormittag erholen. Philippe dagegen hatte es eilig!

»Iss doch nicht so hastig, Junge«, mahnte seine Mutter. »Du kommst schon noch rechtzeitig zu deinen Cousinen. Jetzt in den Ferien darf es ja auch abends ruhig einmal etwas später werden.«

Monsieur Malfait brummte zustimmend irgendetwas in seinen Bart. Dann nahm er aber doch noch die Pfeife aus dem Mund und meinte: »Na, dann lauf schon endlich los und zeig deiner Cousine aus der Großstadt, was es hier bei uns auf dem Lande so alles gibt.«

Philippe wischte sich den Mund ab und trabte los. Als er hinter dem Haus seines Onkels zwei Finger in den Mund steckte und einen schrillen Pfiff ertönen ließ, tauchten die Köpfe der beiden Mädchen gleichzeitig in dem Fenster ihres gemeinsamen Zimmers auf.

»Sofort«, rief ihm Suzanne zu, »wir holen nur noch Jaquin und sagen Regis Bescheid.«

Aber die mussten beide nicht sehr weit gewesen sein. Jedenfalls dauerte es keine drei Minuten, bis sich alle hinten im Garten einfanden. Isabelle hatte Jaquin an der langen Leine – eigentlich nur, damit er nicht in Versuchung geriet irgendeinem Hasen oder Karnickel nachzujagen und dabei verloren ging. Der Weg der Kinder führte zwischen den hohen Pappelbäumen auf die alte Steinbrücke über den Fluss, der doch erheblich breiter war, als Isabelle ihn von weitem geschätzt hatte. Auch auf dem gegenüberliegenden Ufer wuchsen dicht am Wasser Pappeln, Weiden und Eschen. Aber schon bald nachdem sie den breiten Weg am Fluss entlang verlassen hatten und auf einen steinigen Ziegenpfad eingebogen waren, wurde der Aufstieg immer beschwerlicher. Der enge Pfad wand sich zwischen Geröll und gröberen Felsbrocken jenes Hanges hindurch, den man von Suzannes Fenster aus sehen konnte. Hier wuchsen nur noch spärliches Gras und Sträucher, die viel Trockenheit ertragen konnten, wie Wacholder und Stechginster. Hin und wieder löste sich ein weißgrauer Kalksteinbrocken unter ihren Tritten und kollerte ein Stück den Hang hinab. Isabelle, die dem stürmisch vorwärts drängenden Jaquin kaum folgen konnte und immer wieder unversehens einem mächtigen Feldblock ausweichen musste, fing schon bald hörbar zu schnaufen an. Philippe lachte. »Das ist ein bisschen anstrengender als ein Bummel auf bequemen Pariser Boulevards! Aber dafür bekommst du bei uns auch ganz besondere Überraschungen geboten. Siehst du da vorn den breiten Felsvorsprung? Gleich gibt es noch ein wenig mehr zu klettern!«

Der Pfad führte jetzt an einem leicht überhängenden Felsendach entlang, das der Fluss vor langer Zeit ausgewaschen hatte.

»War das so eine Stelle, wo ihr die Steinwerkzeuge gefunden habt?«, wollte Isabelle wissen.

»Nein, komischerweise gerade nicht«, belehrte Suzanne sie. »Da wären wir ja nie auf die Idee gekommen, es könnte hier irgendwo eine noch unbekannte Höhle geben. Unter Felsendächern wie dem da, einem Abri, gab es sehr viele eiszeitliche Wohnungen. Die Menschen brauchten ja nur ein paar Tierfelle vor die Öffnung zu hängen und vielleicht auch noch von unten her Steine zu einer kleinen Mauer aufeinander zu setzen, dann waren sie in ihrer Felsnische sogar vor kaltem Wind geschützt. Im Lehmboden unter solchen Abris haben die Forscher massenweise Steinwerkzeuge gefunden. Das ist hier bei uns nichts Besonderes.« Isabelle nickte. »Ja, weiß ich schon. Der Mann im Zug hat mir davon erzählt. Aber wo ist denn nun eure geheimnisvolle Fundstelle?« Vor Neugierde hatte sie plötzlich alle Mühe und Anstrengung vergessen.

»Erinnerst du dich nicht mehr an den großen Felsen, die ›Felsnase‹ neben dem hohen Ginsterbusch? Ich hab dir die Stelle doch gestern von unserem Fenster aus gezeigt. Da hinten«, Suzanne wies nach rückwärts und hangabwärts, »wir sind schon ein gutes Stück daran vorbeigeklettert. Von zu Hause kann man uns hier nicht mehr sehen und da drüben, genau unter den Wacholderbüschen, da ist unsere Fundstelle.«

Isabelle begann, so gut es auf diesem unebenen Boden eben ging, zu laufen oder genauer gesagt so rasch wie nur möglich über die Geröllhalde auf das dichte Gebüsch loszustolpern. Atemlos kam sie dort an und ließ sich erschöpft auf den harten Boden plumpsen um ein wenig zu verschnaufen. Aber sofort fuhr sie wieder mit einem hellen Schrei auf. »Autsch! Was sticht denn hier so widerlich?«

Philippe feixte. »Du hast dich leider ausgerechnet mitten in stacheligen Mäusedorn gesetzt! Der wächst hier überall, wo es für saftige Kräuter schon viel zu trocken ist.«

Isabelle rieb sich heftig ihre Sitzfläche. »Gibt es vielleicht noch mehr unangenehme Überraschungen hier?« Regis wies auf einen dornigen Strauch in der Buschgruppe. »Der Stechginster ist auch nicht ohne, man muss seine Zweige vorsichtig zur

Seite und auseinander biegen, wenn man hindurch will, sonst kratzt man sich ganz gewaltig.«

»Also«, unterbrach Philippe das Gespräch, »ich hoffe, dass wir bald eine angenehmere Überraschung als Mäusedorn und Stechginster erleben werden. Einfach nur so herumzustehen hat ja keinen Sinn. Wir müssen nach einem festen Plan vorgehen, wenn wir Aussicht auf Erfolg haben wollen.«

»Und was schlägst du vor?« Suzanne blickte ihren Vetter erwartungsvoll an.

»Wir müssen besonders auf Anhäufungen von Steinen achten und auf Vertiefungen im Boden, die irgendwie nicht natürlich aussehen – also zum Beispiel steile Ränder haben, nicht so abgerundet und flach wie gewöhnliche Bodendellen sind. Am besten trennen wir uns: Isabelle und Regis gehen das Gelände hier ab, bis dort drüben, wo die Stechginster beginnen. Suzanne und ich steigen noch etwas höher den Hang hinauf und sehen uns die Geröllhalde zwischen den Wacholdern genauer an. Wer meint, er hätte irgendetwas Verdächtiges bemerkt, bleibt an der Stelle stehen und ruft die anderen herbei.«

Es war auch an diesem Nachmittag wieder recht heiß geworden unter dem immer noch wolkenlosen blauen Himmel. Das grelle Sonnenlicht, von den hellen Kalkfelsen wie durch zahllose Spiegel zurückgeworfen, tat den Augen weh. In dem dürftigen Grün hier und dort, wo sich zwischen dem Gestein etwas gelblich braune Erde angesammelt hatte, zirpten Grillen und von den Ästen der Büsche die unermüdlichen Zikaden ihr

einschläferndes, ewig gleiches Lied. Manchmal knisterte es auch plötzlich im Ginster, wenn seine ausgedorrten Hülsen, durch die sengenden Sonnenstrahlen erhitzt, aufplatzten und die runden Samenkörner wie Schrotgeschosse herausgeschleudert wurden.

Isabelle musste gleichzeitig auf zweierlei Acht geben: einmal, dass sie sich nicht an den vielen spitzen Steinen, die überall aus dem Boden hervorlugten, ihre Knöchel wund stieß oder sogar einen Fuß vertrat, zum anderen darauf, kein Bodenfleckchen, und sei es auch noch so klein, zu übersehen. Es hätte ja irgendwelche verräterischen Hinweise geben können! Jaquin, jetzt nicht mehr an der Leine, schnupperte aufmerksam an jedem Felsblock und stöberte eifrig hinter jedem Busch – ganz so, als hätte auch er begriffen, worauf es nun ankam.

Halt! Was war das dort neben dem flechtenüberzogenen grauen Stein? Isabelles suchender Blick blieb wie gebannt an einem langen, schmalen Etwas hängen, das mit einer scharfen, sägeartig gekerbten Spitze aus dem Boden ragte. Mit zwei, drei Sätzen war sie an der Stelle, bog behutsam zwei kurze Mäusedornzweige zur Seite und rief ihrem Begleiter zu: »Regis, Regis, schnell, komm her! Du, ich glaub – ich hab wirklich was gefunden.« Ihr Herz klopfte wie wild vor Aufregung. »Guck mal, das spitze Ding da – kann das was sein? Etwas, was wir suchen?«

Regis kam herbeigestürzt und kniete sich neben Isabelles Fund auf den Boden. »Mensch«, entfuhr es ihm, »ich werd verrückt! Toll, so was haben wir bis jetzt noch nicht!«

»Was ist es denn, nun sag doch schon.« Isabelle wurde immer zappeliger. »Mach's doch nicht so spannend!«

Aber Regis hatte schon das Messer aus seiner Hosentasche gezogen, die Klinge aufgeklappt und damit begonnen, ganz, ganz vorsichtig mit der Spitze die feste Erde um das mysteriöse Etwas wegzukratzen. »Ich glaube, du hast eine Harpune entdeckt!«

Isabelle riss die Augen auf. »Eine Harpune? Was ist das nun schon wieder?«

»Da, schau dir's an.« Regis hatte den Boden genügend gelockert und konnte jetzt das seltsam geformte Fundstück langsam herausziehen. »Suzanne, Philippe«, schrie er den weiter hangaufwärts Suchenden zu, »hierher – wir haben etwas!«

Er hielt den beiden, die atemlos herangestürzt

kamen, auf ausgestreckter Hand Isabelles Entdeckung entgegen. »Eine Harpunenspitze. Sie ist viel länger als eine gewöhnliche Pfeil- oder Speerspitze und hat viele nach rückwärts gerichtete Widerhaken.«

»Und wofür war das gut?«, wollte Suzanne wissen.

»Ein Speer mit einer gewöhnlichen, glatten Spitze rutscht, wenn das getroffene Tier flüchtet und dabei durch Gestrüpp bricht, leicht wieder aus der Wunde heraus. Die hört dann, wenn sie nicht sehr tief ist, schon bald auf zu bluten und der Jäger ist seine Beute ein für alle Mal los, auch wenn er sie noch so gut getroffen hat. Aber so eine Widerhakenspitze wie die hier bleibt fest stecken und kann nicht mehr aus der Wunde herausrutschen, nicht einmal dann, wenn das Tier versucht sie irgendwie abzustreifen. Es muss also verbluten, auch wenn die Verletzung gar nicht tödlich war!«

Suzanne beugte sich über die Harpunenspitze auf Regis' Hand. »Woraus ist die denn gemacht? Das ist doch kein Feuerstein!« Aber Regis, der »Fachmann« auf diesem Gebiet – auch sein Lehrer war ein recht bekannter Eiszeit-Hobbyforscher und versäumte keine Gelegenheit den Schülern immer wieder vom Leben der Menschen jener fernen Zeit zu erzählen –, war nicht so leicht in Verwirrung zu bringen. »Aus einem Stück Hirschgeweih zum Beispiel oder auch aus Rentiergeweih und Knochen. Mit Feuersteinmessern muss das eine ganz schöne Arbeit gewesen sein! Daran hatte so ein Eiszeitmensch länger zu tun als an einem Schaber aus Feuerstein.«

»Und verziert ist die Harpune sogar auch noch.« Isabelle deutete respektvoll auf regelmäßig angeordnete längliche Kerben, die von den Widerhaken aus schräg nach unten zogen.

Doch Regis schüttelte den Kopf. »Nein, das sind nicht einfach so beliebige Verzierungen. Dahinter steckt eine ganz raffinierte Erfindung der Steinzeitjäger. Durch solche Rinnen konnte nämlich das Blut des getroffenen Bisons oder was es sonst war schnell aus der Wunde abfließen. Es staute sich nicht und hatte deshalb gar keine Zeit zu gerinnen. Das verletzte Tier blutete also rasch aus und so konnten es die Jäger, die es ja zu Fuß verfolgen mussten, bald einholen, weil es immer mehr an Kraft verlor.«

Philippe nahm die Harpunenspitze und wog sie leicht in seiner Hand. »Wenn man so etwas betrachtet«, meinte er nachdenklich, »dann bekommt man richtigen Respekt vor unseren Eiszeitahnen! Die waren ganz sicher nicht weniger gescheit als die heutigen Menschen auch. Oder wäre einer von euch auf so eine tolle Idee gekommen? Blutabflussrinnen, damit das getroffene Tier schnell verendet!« Anerkennend pfiff er durch die Zähne.

»Da!« Er reichte Isabelle die Harpune. »Steck sie gut weg! Vorläufig darf zu Hause niemand etwas von diesem Fund wissen. Onkel Apotheker wäre dann, wie ich ihn kenne, nicht mehr zu halten und wollte genau die Stelle wissen, wo du die Harpune gefunden hast, um dort weiterzusuchen. Damit käme er uns ausgerechnet jetzt ganz schön in die Quere.«

»Aber ihr habt noch gar nicht danach gefragt, welche Bedeutung Isabelles Fund für uns hat.« Regis blickte herausfordernd in die Runde, aber alle sahen ihn nur erwartungsvoll an. »Die Harpune wurde nämlich erst gegen Ende der Altsteinzeit erfunden, so ungefähr um dieselbe Zeit, in der auch die berühmten Höhlenmalereien von Lascaux entstanden sind.«

Philippes Augen fingen richtig an zu glänzen! »Herrschaften, kapiert ihr jetzt?«, rief er den beiden Mädchen zu. »Wenn die Harpunenspitze zu den Werkzeugen aus unserer Höhle gehört, dann müsste es sich aller Wahrscheinlichkeit nach um eine eiszeitliche Bilderhöhle handeln!«

»Müsste, müsste!« Suzanne schob missmutig die Unterlippe vor. »Bis jetzt haben wir aber noch nicht die geringste Spur von irgendeinem Höhleneingang entdeckt. Wie war das denn eigentlich bei dieser weltberühmten Lascaux-Höhle, Regis? Euer Lehrer hat euch doch das alles haarklein erzählt. Vielleicht bringt uns tatsächlich die Entdeckungsgeschichte anderer Höhlen auf eine Idee, wonach wir zu suchen haben.«

Sie wählten sich eine grasbewachsene, leichte Bodendelle, die von Stechginster umstanden und dabei ein wenig schattig war, vor allem aber gut gegen Sicht von allen Seiten geschützt lag. Hier machten sie es sich, so gut es eben ging, bequem und Regis erzählte die Geschichte von dem kleinen Hund Robot, der vor nun schon mehr als vierzig Jahren die berühmteste Bilderhöhle der Welt bei Lascaux, nicht sehr weit nordöstlich von ihrem Dorf, entdeckt hatte.

»Ein Hund – und eine Eiszeithöhle entdeckt!« Isabelle rümpfte die Nase. »Jetzt behaupte nur noch, er sei schnurstracks zur Polizei gelaufen und habe Meldung gemacht!« Regis musste lachen. »Nein, so natürlich nicht. Das ist doch kein Witz. Der Hund war beim Spielen mit Kindern auf einmal verschwunden. Wie vom Erdboden verschluckt – und das dürft ihr sogar ausnahmsweise einmal ganz wörtlich so nehmen, wie ich es sage! Er war nämlich wirklich durch ein verstecktes Loch zwischen Steinen in irgendeinem Gebüsch gerutscht und die Kinder, die ihn natürlich überall suchten, hörten ihn irgendwo in der Tiefe kläglich bellen.«

Philippe warf ein paar kleine Steinchen in die Luft und versuchte sie wieder aufzufangen. »Und dann? Was dann? Erzähl doch, was ist dann passiert?«

»Na, was hättest du da wohl gemacht? Die Kinder zerrten die Steine um das enge Loch zur Seite, so weit, bis der Älteste gerade noch so durchschlüpfen konnte. Unten, wo sich das Erdloch zu einem Höhlengang erweiterte, fand er dann nicht nur den Hund unverletzt, sondern auch fantastische Malereien, die schönsten, die jemals aus der Eiszeit entdeckt wurden. Die Cromagnon-Menschen*, also die Jäger, die mit ihren Harpunenspeeren Bisons und Riesenhirsche, Mammute und Wollnashörner gejagt haben, waren die Künstler gewesen – vor etwa zwanzigtau-

* Europäische Menschenrasse aus dem Ende des Eiszeitalters

send Jahren.« Unwillkürlich sprang Isabelle auf, legte die Hand über die Augen und spähte angestrengt über das Gebüsch hinweg in die Runde. »Wo ist denn unser Jaquin? Kann ihn einer von euch sehen? Jaquin, he, Jaquin – hierher, komm!«

Regis räkelte sich gegen einen Kalksteinbrocken in seinem Rücken. »Der wird inzwischen bestimmt keine Höhle gefunden haben und hineingekrochen oder -gefallen sein! Eher ist er einem Karnickel nach. Solche Zufälle passieren bestimmt nicht zweimal!«

»Aber die meisten Höhlen sind doch rein zufällig entdeckt worden – oder etwa nicht?« Philippe warf ihm einen fragenden Blick zu.

»Natürlich.« Regis verschränkte seine Arme im Nacken. »Zum Beispiel die Bärenhöhle in Süddeutschland. Da war einem Lehrer beim Pilzesammeln, als er sich bückte, seine silberne Tabaksdose aus der Tasche gerutscht. Sie fiel durch einen versteckten, ganz engen Felsspalt. Er konnte noch hören, wie sie irgendwo tief unten aufschlug. Er riss das Heidelbeergestrüpp aus um den Spalt, wenn möglich, ein bisschen zu erweitern. Menschenskinder, stellt euch vor, was dem entgegengrinste, als er endlich hinuntersehen konnte: nicht nur ein einziger, sondern gleich ein ganzer Haufen Menschenschädel in einer Felsenkammer!«

»Igittigitt.« Suzanne schüttelte sich. »Ich wäre laut kreischend davongelaufen und hätte mich kein einziges Mal mehr umgedreht.«

»Glaub ich dir aufs Wort, aber der Lehrer war zum Glück nicht so ein Hasenfuß! Am nächsten

Tag ist er wieder hingegangen, mit Stricken und natürlich auch einer Lampe. Eine Hacke hatte er auch mitgebracht, damit brach er den Felsspalt weiter auf, bis er an seinem Strick hinunterklettern konnte – mitten zwischen die Totenköpfe. Hinter dem Haufen Menschenschädel fand er einen Gang, der noch weiter in die Erde hineinführte. Da entdeckte er dann außer Knochen von Höhlenbären auch Steinwerkzeuge von Eiszeitmenschen.«

»Keine Bilder?« Isabelle war enttäuscht.

»Aber was waren denn das für Schädel ganz vorn in der ersten Felsenkammer – auch von Eiszeitmenschen? Huch, wenn das vielleicht ein Versammlungsplatz von Kannibalen gewesen wäre, die dort immer ihre erschlagenen Feinde aufgefressen…«

»Jetzt hör aber auf!« Isabelle versetzte Suzanne einen kleinen Stoß. »Da kann einem ja schlecht werden!«

Auch Suzanne war es kalt über den Rücken gelaufen. Da soll man keine Gänsehaut kriegen, trotz der Augusthitze, wenn man sich vorstellt, wie mit zottigen Fellen behängte, bärtige Kerle im Eingang zu einer finsteren Höhle um ein flackerndes Feuer hocken und Menschenknochen abnagen! »Nein, in diesem Fall sicher nicht«, beruhigte Regis seine erregten Cousinen. »Aber es hat so was wirklich auch gegeben in der Eiszeit. Nur haben sich die Menschen nicht aus Hunger gegenseitig aufgefressen. Sie aßen meistens nur das Gehirn ihrer getöteten Feinde, weil sie meinten, damit könnten sie sich auch deren Klugheit, Erfahrung und Geschicklichkeit ›einverleiben‹. Kultkannibalismus hat man das genannt, unser Lehrer hat uns einmal in irgendeinem Museum einen Menschenschädel gezeigt, der um das Hinterhauptsloch herum aufgebrochen war. Da hat er uns erklärt, wie diese Eiszeitkannibalen die Gehirne aus den Schädeln herausholten. – Sie wussten damals schon, wo so ein Schädel am leichtesten zu verwunden ist. Schon mal was von einem Schädelbasisbruch gehört? Das ist eine Verletzung, ein Knochenbruch genau an derselben Stelle!«

»Jetzt sei aber endlich mal still mit deinen Schauergeschichten.« Isabelle runzelte die Stirn. »Da vergeht einem ja jeder Appetit auf das Abendessen!«

Regis mußte grinsen. »Ach wo, mit so was hätten die Menschenschädel in der süddeutschen Bärenhöhle doch überhaupt nichts zu tun. Das waren nur die Überreste von Pestleichen, die man während einer Pestepidemie im Mittelalter einfach in die Höhle hinuntergeworfen hatte. Die haben damals gar keine Zeit mehr gehabt, all die Gräber erst mühsam zu schaufeln!«

Philippe stand auf. »Na ja, das alles hat mit unserem Problem eigentlich schon nichts mehr zu tun. Da hinten scharrt Jaquin tatsächlich an einem Karnickelloch herum. Jaquin, komm hierher, Jaquin!«

Der Hund fegte zwischen den dichten Büschen hindurch, sprang mitten in die Grube und kuschelte sich vertrauensvoll an Isabelle. »Na also, du hast sogar mit deiner Spürnase nichts gefunden.« Regis tätschelte ihm den etwas zu breit geratenen Kopf. »Und? Wie soll's jetzt weitergehen? Viel Zeit haben wir heute sowieso nicht mehr für unsere Suche nach einer Höhle. Die Sonne geht ja schon unter.«

Tatsächlich hatten die vier gar nicht bemerkt, dass es ganz allmählich schon recht kühl geworden war und die hohen Felswände, die steil über ihnen in den Himmel ragten, bereits lange Schatten warfen.

»Wir haben alles abgesucht und keinen, aber auch nicht den kleinsten Hinweis auf irgendeinen verschütteten Höhleneingang gefunden.« Suzanne zuckte resignierend mit den Schultern und rappelte sich mühsam auf. »Ich bin schon ganz steif vom Hocken auf dem harten Boden!«

Doch unvermittelt stand sie wie versteinert. Das Kinn vorgestreckt, starrte sie über die Halde nach oben, wo ein dichtes Gestrüpp aus Wacholder- und Stechginsterbüschen zwischen locker verstreuten grauweißen Kalkfelsen all ihrer Sucherei getrotzt hatte.

»Da«, schrie sie auf und ihre Stimme überschlug sich vor Erregung. »Da oben, seht doch mal dorthin!«

Die Blicke der anderen, die erschreckt aufgefahren waren, folgten ihrem ausgestreckten Arm. Ja, jetzt sahen auch sie, was Suzanne derart in Aufregung versetzt hatte: Fledermäuse! Eine hinter der anderen, eine schier endlose Kette nachtschwarzer, geräuschlos flatternder Tiere schoss zwischen den beiden größten Wacholdersträuchern hervor und verschwand in Richtung Fluss.

»Kinder«, brüllte Philippe, »Fledermäuse können nur in Felsenhöhlen versteckt sein, wenn weit und breit keine Feldscheune oder ein altes Haus,

eine Ruine oder so etwas dafür in Frage kommt. Da haben wir ihn endlich – unseren Höhleneingang!«

Mit vor Erregung geballten Fäusten stürmte er den Hang hinauf. Die anderen stolperten ohne Rücksicht auf Steinbrocken oder den stechenden Mäusedorn mit dem hechelnden Jaquin hinterdrein. Völlig außer Atem erreichten sie die Gestrüpp- und Felsengruppe, die darunter fast ganz versteckt war. Gerade huschten die letzten Nachzügler der Fledermäuse davon.

»Hier muss es sein.« Philippe achtete nicht auf

seine Kleider und seine Haut, als er sich so ungestüm durch den stachligen Ginster und die kaum weniger kratzenden Wacholderbüsche zwängte, dass ihm bei diesem Tempo nur Jaquin folgen konnte. Als ihn die anderen erreichten, lag er bereits bäuchlings auf dem Boden und zog mit beiden Händen an einem aus der Erde hervorragenden Stein.

»Hier«, keuchte er, »packt mit an, rasch, da ist die Erdspalte, aus der die Fledermäuse herauskamen.«

Mit vereinten Kräften gelang es ihnen endlich den schweren Stein auf die Seite zu wälzen. Mit glänzenden Augen starrten sie wie gebannt in eine gähnende Öffnung, die jetzt auf einmal frei vor ihnen lag. Philippe hob einen kleinen Stein auf und warf ihn hinein. Sie konnten hören, wie er aufschlug, aber nicht nur einmal, sondern mehrmals hintereinander.

Philippe zog die Luft hörbar ein. »Habt ihr's gehört? Es klang immer entfernter und leiser. Das muss wirklich ein Gang tief in die Felsen und die Erde hinunter sein. Morgen, Leute, morgen ist unser großer Tag. Aber ihr müsst noch einmal schwören: Kein Wort, zu niemandem, wer es auch sei!«

Sie nickten stumm, wer sollte in solch einem feierlichen Augenblick auch nur ein einziges Wort herausbringen? Wie auf ein geheimes Kommando fassten sie sich an den Händen. Am liebsten hätten sie ja einen regelrechten Indianertanz aufgeführt, aber dazu war in dem dichten Gestrüpp leider nicht genug Platz!

Eine wirklich große Höhle!

Es war schon ziemlich dunkel, als die vier und Jaquin zu Hause ankamen. Aber bevor die beiden Mädchen nach dem Abendessen in ihre Betten schlüpften, musste Suzanne doch erst noch einmal ihren »Notausgang« benutzen. Sie klemmte ihre flache Taschenlampe einfach zwischen die Zähne, schwang sich rittlings aufs breite Fensterbrett, packte das dicke Blitzableiter-Drahtseil und kletterte aufs Schuppendach und von dort zum Boden hinunter. Dann zog sie behutsam die Schuppentür auf, damit sie nicht quietschte, und schlüpfte hinein.

Isabelle oben am Fenster hörte im Dunkeln irgendetwas klappern und schlurfen. Hier und da blitzte auch ganz kurz ein Lichtstrahl zwischen den schadhaften Brettern des alten Schuppens auf. Dann erschien Suzanne wieder, etwas im Arm haltend, verriegelte vorsichtig die Schuppentür und lief durch den dunklen Garten zum Fluss hinab. Nur wenig später war sie jedoch schon wieder zurück und kletterte den Blitzableiter hinauf. Schnaufend ließ sie sich auf ihr Bett fallen.

»So, das wäre also auch erledigt«, wisperte sie ganz erschöpft.

»Was denn?«, wollte Isabelle neugierig wissen. »Was hast du denn da unten getrieben?«

»Na, wir brauchen doch ein paar Werkzeuge morgen und da hab ich eine alte, rostige Spitzhacke, die doch kein Mensch mehr benutzt, eine Schaufel und ein Seil aus dem Schuppen ›besorgt‹.

Die liegen jetzt versteckt unter einem Busch am Flussufer. Von hier aus können wir solche Sachen am hellen Tag nicht mitschleppen. Da würde doch jeder gleich fragen, was wir damit vorhaben. Wenn wir aber erst mal unten zwischen den Pappeln sind, dann schaut uns längst keiner mehr nach. Da treibt sich höchstens Monsieur Vinaigre herum. Aber der fragt eigentlich nie und ist außerdem verschwiegen wie ein Grab, wenn's mal drauf ankommt.«

Isabelle richtete sich auf und stützte sich auf die Ellbogen. »Monsieur Vinaigre?«, fragte sie verblüfft, »ein Herr namens Essig? Wer ist denn das nun schon wieder?«

Suzanne musste trotz ihrer Müdigkeit einmal kurz auflachen. »Ein Gelegenheitsarbeiter oder auch Landstreicher, wie du willst! Wie alt er ist, das weiß hier keiner genau – fünfzig oder auch schon über sechzig Jahre –, wahrscheinlich hat er es sogar selbst längst vergessen. Bei der Weinlese und auch sonst zwischendurch, wenn Arbeitskräfte gebraucht werden, arbeitet er bei den Winzern. Sonst schläft er in Heuschobern, oder, wenn's im Sommer so heiß ist wie jetzt, auch mal irgendwo droben unter einem Felsvorsprung – so ähnlich wie bei euch in Paris die Clochards unter den Seinebrücken. Seinen richtigen Namen weiß auch kein Mensch. Alle nennen ihn nur Monsieur Vinaigre, weil er fast nie ohne eine Flasche vom billigsten und sauersten Wein zu sehen ist und danach riecht – eben irgendwie nach Essig! Na ja, vom Waschen hält er natürlich auch nicht viel und das kommt dann halt alles so zusammen. Ganz nüchtern ist der alte Vinaigre eigentlich nur, wenn er gerade einmal arbeitet, aber das kommt wie gesagt nur ab und zu einmal vor. Doch sonst ist er wirklich harmlos und gutmütig. Außerdem kennt er unsere Gegend hier wie kein Zweiter.« Sie sah nach dem Leuchtzifferblatt der Uhr.

»Menschenskind, jetzt müssen wir aber endlich schlafen! Wenn's nach all der Aufregung auch schwer fällt, aber wir haben morgen einen anstrengenden Tag vor uns. Gute Nacht, Isabelle!«

»Gute Nacht, Suzanne!«

Isabelle drehte sich ergeben zur Wand. »Vergiss nicht das Licht auszuknipsen«, gähnte sie gerade noch in ihr Kissen, dann begann sie aber auch schon in ruhigen, tiefen Zügen zu atmen.

Am nächsten Morgen waren die beiden Cousinen schon beim Frühstück zappelig genug. Und dann auch noch abwarten zu müssen, bis Vetter Philippe alle seine Brote ausgefahren und Jeremias versorgt hatte! Aber wenigstens konnten sie ihm dabei ein wenig zur Hand gehen, so dass sie am frühen Nachmittag endlich startklar waren.

Die von Suzanne versteckten Werkzeuge wurden unterwegs mitgenommen. Außer Suzanne hatte auch Regis noch eine Taschenlampe dabei und Philippe schleppte für alle Fälle, wie er sich ausdrückte, ein ganzes Bündel Kerzen nebst einem Päckchen Streichhölzern mit sich. Das lange, dicke Seil hatte er sich wie ein Bergsteiger um Schultern und Hüfte geschlungen.

Jenseits der alten Steinbrücke verfielen sie ohne Verabredung alle unwillkürlich in Laufschritt, soweit der unebene Ziegenpfad das überhaupt zuließ. Aber ihre Sorge, es könnte sozusagen im letzten Moment noch irgendetwas oder irgendwer dazwischenkommen und ihre Höhle könnte inzwischen von anderen entdeckt worden sein, erwies sich glücklicherweise als völlig unbegründet. Dafür war ja wohl auch das wild um das erweiterte Fledermaus-Flugloch herum wuchernde dornige Gestrüpp viel zu dicht. Wer sollte da schon in Versuchung geraten dort drinnen etwas zu suchen?

»Jetzt müssen wir als Erstes einen genügend breiten Einstieg freilegen.« Philippe wickelte sich das ziemlich lange Seil vom Körper. »Gib mir mal die Spitzhacke, Suzanne – und Vorsicht, bitte, wenn ich zum Schlagen aushole! Viel Platz haben wir ja nicht. Regis, du nimmst erst mal die Schaufel und schippst die lockere Erde ein bisschen auf die Seite.«

Hell klang der erste Schlag dicht neben dem schmalen Felsspalt auf dem zerbröckelnden Kalkstein. Nach ein paar weiteren Hieben war ein größerer Felsblock schon so weit gelockert, dass er sich etwas bewegen ließ.

»Los jetzt, Regis und Suzanne, packt mit an.«

Philippe stemmte seine Spitzhacke, so weit es eben gehen wollte, als Hebel unter den Stein. »Also: hau ruck, hau ruck!«

Der Felsbrocken rollte zur Seite. »Es reicht immer noch nicht ganz.« Philippe wischte sich mit dem Handrücken den Schweiß von seiner Stirn. »Die Ecke da muss noch weg, sonst kommen wir nicht durch.«

Er deutete auf eine spitz vorragende Felsnase,

packte erneut seine Hacke und begann mit kräftigen Hieben den hinderlichen Stein zu bearbeiten. Splitter spritzten umher, aber schließlich brach der hindernde Vorsprung doch ab. Suzanne und Isabelle packten zu und rollten ihn zur Seite. Jetzt ließ sich der Rest der Arbeit mit Hilfe der Schaufel und sogar der bloßen Hände besorgen. Immer größer wurde die Öffnung, aber mehr als Geröll, das sich wie eine allerdings recht steile Rampe im Dunkel der Erde in die Tiefe verlor, war vorerst nicht zu erkennen.

»Na, endlich.« Philippe hob das zusammengerollte Seil vom Boden auf. »Jetzt kann unser Abenteuer beginnen! Aber hört erst mal zu.« Er hob die Hand hoch. »Wir dürfen nicht einfach so drauflosklettern, jeder wie er gerade will! Das wäre viel zu gefährlich. Wir wissen ja überhaupt nicht, wie weit es da hinuntergeht und was uns dort unten alles erwartet. Da ich der Älteste bin und auch der Stärkste, schlage ich vor, dass ich als Erster hinuntersteige. Einverstanden?«

Die anderen nickten zustimmend. So begierig sie auch verständlicherweise sein mochten selbst sofort auf Entdeckung auszugehen, so dankbar nahmen sie doch Philippes Vorschlag an. Wenn schon mal einer drunten ist, dann traute man sich selbst doch eher auch hinab. Aber so ganz allein als Erster in eine unbekannte, finstere Tiefe? Nein, das denn doch lieber nicht!

»Also denn.« Philippe band sich den Strick um den Leib und zog kritisch prüfend am Knoten. Das andere Ende befestigte er sehr sorgfältig an zwei besonders kräftigen Wacholderstämmen.

Dann steckte er noch Regis' Taschenlampe in seinen Gürtel.

»Ihr beide, Isabelle und Suzanne, haltet das Seil immer straff gespannt und gebt nur langsam ›Hand über Hand‹ nach, gerade so schnell, wie ich weiter hinunterkomme. Aber stemmt eure Füße fest gegen den Boden! Wenn ich rufe, haltet ihr an oder lasst mehr Seil nach, je nachdem. Gebt Acht und hört genau auf das, was ich euch zurufe!« Schon steckten seine Füße in der Öffnung, während er sich noch mit den Händen auf einen Stein am Rand stützte. Dann begann er langsam, ganz langsam mit den Füßen vorantastend abwärts zu rutschen, so weit es noch auf dem Hosenboden ging. Schließlich fasste er das Seil mit beiden Händen und suchte mit seinen Füßen einen festen Halt im Geröll. Jetzt verschwand bereits sein Kopf in dem dunkel gähnenden Loch.

Isabelle und Suzanne stemmten, wie Philippe es ihnen geraten hatte, mit gespreizten Beinen ihre Füße, so fest sie konnten, gegen den Boden um auf alle Fälle genügend Halt zu haben, wenn es einen unvermuteten Ruck geben sollte. Langsam gaben sie Seil nach und lauschten dabei angestrengt in die Tiefe. Dort kollerten ein paar lockere Steine unter Philippes Füßen nach unten.

»Pass auf, dass dir kein herausgebrochener Stein auf den Kopf fällt«, rief Suzanne in den Schacht hinab. »Wir hätten uns so einen Helm besorgen müssen, wie ihn die Bergleute tragen!«

»Hier fällt nichts runter, über mir ist eine feste Felsendecke«, scholl Philipps Antwort dumpf aus der Tiefe. »Was da so plumpst, sind nur ein paar losgetretene Steine, die auf dem schrägen Boden hinabrollen. Keine Gefahr! Wie viel Seil habt ihr jetzt schon nachgegeben?«

Suzanne schätzte die Länge des Restes ab. »Etwa sieben Meter«, rief sie, weit vornübergebeugt, Philippe zu.

»Gut, der Boden wird jetzt flacher. Ich muss hier an der Stelle sein, wo der Stein, den wir gestern hinabgeworfen haben, zum ersten Mal aufgeschlagen ist. Von hier aus muss er dann weitergehüpft und dabei immer wieder von der Felsenwand des Ganges abgeprallt sein. Vielleicht brauche ich jetzt gar kein Seil mehr.« Seine Stimme klang plötzlich etwas schwächer, weil er sich herumgedreht hatte.

»Hier kann ich schon fast aufrecht stehen. Ich zieh jetzt das Seil so weit zu mir herunter, bis es ganz straff gespannt ist, lasst es los!«

Die locker auf der Erde liegenden Seilschlingen schienen auf einmal lebendig zu werden, rollten sich mehr und mehr auf und verschwanden durch die Öffnung in die Tiefe. Zuletzt führte das Seil, nun straff angespannt, von den beiden Wacholderstämmen aus über den Rand des Höhleneingangs geradewegs nach unten.

»So, kommt jetzt nacheinander herunter. Suzanne aber erst, wenn Isabelle bei mir ist, dann als letzter Regis. Bindet Jaquin an einen Wacholderstamm. Er ist vorerst unser Wächter über der Erde.«

Philippes Stimme klang beängstigend fremd, richtig hohl und wie von ganz fern her schallend. »Vergesst die Kerzen und Streichhölzer nicht! Jeder muss eine Kerze in die Tasche stecken. Und reißt euch zusammen: Nicht so hastig mit dem Abstieg. Fest am straffen Seil halten und immer die Füße gut einstemmen!«

Aber es ging alles reibungslos und ohne Zwischenfall vonstatten – wenn man einmal großzügig von ein paar ganz unwesentlichen Schrammen sowie ein wenig weißem Kalksteinstaub auf den Hosenböden, an den Knien und Ellbogen absah.

Unten schauten sie sich sprachlos um. Philippes Taschenlampe riss nur einen schmalen Lichtkeil in das tiefe Dunkel des Ganges, der sich an dieser Stelle immerhin gerade so viel erweiterte, dass sie eng aneinander gedrängt nebeneinander stehen konnten. Philippe ließ den Lichtstrahl langsam über die Wände gleiten, an denen unvermittelt scharfe Felszacken hervorzuspringen schienen und bizarre Risse sichtbar wurden.

»Steckt doch mal zwei Kerzen an, Suzanne und Regis«, bat er. »Der Boden ist nicht eben. Da gibt es eine Menge flacher Dellen im Lehm und dazwischen manchmal auch tiefere Löcher und vor allem viel größere und kleinere Steine, die überall verstreut herumliegen.« Er leuchtete die ›Gefahrenstellen‹, wie er sie nannte, an. »Wer stolpert und hinfällt, der kann sich hier unten ganz schön die Knie aufschlagen!«

Zaghaft drangen sie tiefer in die Höhle ein, vorsichtig über kleinere Steine hinwegsteigend und um größere Felsbrocken herumkletternd. Der Gang wurde zwar breiter, aber immer noch ging es leicht schräg abwärts. Philippe tappte mit der Taschenlampe voran, die beiden Mädchen mit ihren Kerzen so dicht wie nur möglich nebeneinander hinterdrein. Regis bildete mit der zweiten Taschenlampe den Schluss.

Ein wenig unheimlich war es ihnen nun doch zu Mute. Aber wer würde das schon zugeben wollen, ausgerechnet jetzt, wo die Spannung auf ihrem Höhepunkt angelangt war? Jede Sekunde konnte sich Unerhörtes ereignen und da sollte man kneifen, nur weil es einen gruselte?

Die Stille wirkte geradezu feierlich, weil keiner ein Wort herausbrachte vor lauter angespannter Erwartung. Nur manchmal löste sich ein Stein unter dem tastenden Tritt eines Fußes und rollte ein kurzes Stück zur Seite. Hin und wieder mussten sie sich auch mal durch einen engen Spalt hindurchzwängen, hinter dem sich der Gang, immer noch leicht abwärts führend, wieder ebenso unvermutet erweiterte.

Hinter einem solchen Engpass, vielleicht hundert oder sogar hundertfünfzig Meter vom Einstieg entfernt, fanden sich die vier ganz überraschend in einem weiten Felsensaal. Das Licht der Kerzen, auch als Suzanne und Isabelle sie nun hoch über ihre Köpfe emporhielten, reichte nicht bis zu seiner Decke hinauf. Als aber Philippe mit seiner Taschenlampe nach oben leuchtete, konnten sie ganz deutlich erkennen, wie stark zerklüftet sie war. Enge Felskamine strebten gegen eine weite Gewölbekuppel in der Mitte.

»Da!« Philippe schwenkte seine Taschenlampe leicht hin und her, so dass der Lichtstrahl bestimmte Partien dieser Kuppel aus dem Dunkel riss. »Seht ihr die schwarzen Klumpen da an der Decke hängen?«

Alle blickten angestrengt nach oben, bis ihnen die Nacken schmerzten.

»Das sind unsere braven Fledermäuse, die uns die Höhle verraten haben. Tagsüber schlafen sie hier in ihrem Versteck, wo ihnen niemand gefährlich werden kann.«

Regis wunderte sich. »Wie finden die denn bei so einer Dunkelheit den Höhlenausgang? Von hier aus ist doch das helle Einstiegsloch gar nicht zu sehen! Und wie fliegen sie eigentlich durch all die vielen engen Spalten ohne sich dabei zu stoßen?«

»Sehen können die hier in der dunklen Höhle so wenig wie du und ich, wenn wir keine Lampe oder Kerzen dabeihaben. Aber Fledermäuse können Hindernisse im Dunkeln hören und ihnen dadurch genauso sicher ausweichen, als wenn sie bei hellem Tageslicht fliegen würden.«

»Hindernisse hören? Komm, jetzt nimm uns aber bitte nicht auf den Arm, wir haben, meine ich, Besseres zu tun«, schmollte Regis.

»Doch, wirklich, das ist kein Witz! Sie stoßen beim Fliegen andauernd Schreie aus und merken dann am Echo, wo Felsen oder, im Freien, Bäume, Häuser und Mauern sind. Daher können sie immer noch rechtzeitig ausweichen.«

»Auweia«, lachte Regis, »das muss aber dann abends ein dolles Geschrei sein hier unten, wenn die alle auf einmal losfliegen!«

»Irrtum!« Philippe war nicht wenig stolz auf seine guten Biologiekenntnisse. »Die Töne, die Fledermäuse ausstoßen, manche übrigens sogar durch ihre Nase, sind derart hoch, dass wir sie mit unseren weniger empfindlichen Ohren nicht mehr hören können. Im Dunkeln würdest du überhaupt nicht merken, dass hier Fledermäuse herumfliegen, sogar wenn ein paar Tausend von ihnen aufbrechen zur nächtlichen Jagd auf Insekten, höchstens so etwas wie ein leises Flügelflattern. Aber jetzt weiter, wir müssen unbedingt herausfinden, wo unser Gang wieder aus diesem Saal hinaus- und weiterführt. Am besten gehen wir rundherum die Wand ab, Regis und ich links herum, Suzanne und Isabelle rechts herum, bis wir uns wieder treffen. Gib den Mädchen deine Taschenlampe, Regis, und nimm dafür eine Kerze, dann ist alles gerecht verteilt.«

Das war allerdings leichter zu planen als durchzuführen, da der Boden mit mächtigen Felsbrocken wie übersät schien und die Wand des Saales durch zahlreiche Nischen, Spalten und dazwischen scharfe, weit vorspringende Steinkanten alles andere als glatt war. Die Mitte des »Saales« blieb jetzt wieder in Dunkelheit gehüllt. Nur auf der gegenüberliegenden Seite, etwa dreißig Meter entfernt, konnten Suzanne und Isabelle ihre beiden Vettern im schwachen Schimmer von Regis' Kerze voranstolpern sehen. Vor ihnen her huschte wie ein großes, dunkles Gespenst mit unnatürlich weit ausholenden Bewegungen Philippes Schatten über die Wand, da Regis mit seiner Kerze hinter ihm ging.

Aber das war es gar nicht, weshalb Isabelle auf einmal Suzanne heftig am Arm zurückriss. So schmerzhaft hatte sie zugepackt, dass dieser beinahe die brennende Kerze aus der Hand gefallen wäre, und sie hatte dabei einen schrillen Schrei ausgestoßen. Sein Echo brach sich wie ein schauerliches Gespensterlachen in dem riesigen Deckengewölbe und ebbte in dem fernen Gang irgendwo in der Tiefe der Erde allmählich ab, als hätte sich ein nachäffender Unhold dort hineingeflüchtet.

Philippe und Regis sprangen, so rasch es der unebene Boden zuließ, herbei. »Um Gottes willen, ist was passiert?«, schrie Philippe und leuchtete Isabelle mit seiner Taschenlampe mitten ins Gesicht. Das war nun wirklich kreidebleich! Ihr Mund stand vor Entsetzen immer noch offen, als Isabelle endlich langsam den Arm heben konnte um mit ausgestrecktem Zeigefinger auf einen Felsvorsprung zu deuten. »Dort, dort drüben«, stammelte sie und umklammerte Suzannes Arm mit ihrer anderen Hand noch immer so fest, als müsste sie umfallen, sobald sie ihn losließ, oder gar in den Boden versinken. »Seht ihr denn nicht dieses grässliche Totengesicht?«

Regis hob seine Kerze höher, und wenn ihm auch die Hand ein wenig zitterte, so sahen jetzt doch auch die anderen, was Isabelle so unvermutet in Furcht und Schrecken versetzt hatte: Ein wahrhaft riesiger, bleicher Schädel grinste sie aus weiten, dunklen Augenhöhlen an und ein furchterregendes Gebiss mit messerlangen Eckzähnen schien ihnen gierig entgegenzublecken.

»Der tut niemandem mehr etwas.« Philippe sprach unwillkürlich ganz leise. Doch trotz der beruhigenden Worte klang seine Stimme etwas unsicher. »Ein Skelett kann nicht mehr beißen!

Los, ihr Angsthasen«, sprach er sich selbst Mut zu, »untersuchen wir die Sache. Damit ist absolut keine Gefahr mehr verbunden, was oder wer das auch immer mal gewesen sein mag, es ist seit vielen Tausenden von Jahren tot.«

Sie merkten nicht einmal, dass sie sich alle vier dem Furcht einflößenden Kopf mit wild klopfenden Herzen nur auf den Zehenspitzen näherten! Philippe leuchtete ihn von allen Seiten mit seiner Taschenlampe ab.

»Komisch«, er flüsterte immer noch, »nur ein Schädel, so groß wie von einem Pferd, und keine anderen Knochen! Regis, kannst du uns das vielleicht erklären? Hat euch euer Lehrer schon einmal von so einem ähnlichen Fund erzählt?«

Regis betrachtete fast andächtig die mächtigen Zähne. »Wartet mal, an irgend so etwas kann ich mich noch dunkel erinnern!« Grübelnd legte er den Zeigefinger an die Nase und rieb sie, als könnte das die Erinnerung auffrischen.

»Ja, jetzt hab ich's wieder: Das ist der Schädel von einem Höhlenbär! Die Kerle waren fast drei Meter hoch, wenn sie sich auf die Hinterbeine stellten. Menschenskinder, überlegt mal, was für ein Mut dazu gehört hat, so ein Urviech nur mit einem ganz gewöhnlichen Steinspitzenspeer anzugreifen und zu töten! Ich hätte mich nicht in die Nähe gewagt, auch wenn der Bär in einer Falle gehockt hätte!«

»Aber wie kommt ein Bärenschädel allein da auf den Stein – beinahe wie ein Denkmal auf seinen Sockel?« Philippe zuckte mit den Schultern und sah die anderen ratlos an. »Kannst du uns vielleicht auch das noch erklären?«

»Wahrscheinlich...«, brummte Regis und deutete auf zwei dicke und lange Knochen, die gekreuzt unter dem Bärenschädel lagen. In ihrer Aufregung hatten sie diesen seltsamen Umstand noch gar nicht bemerkt. »Ich hab da mal ein Bild gesehen von einer eiszeitlichen Opferstätte irgendwo in den Schweizer Alpen. In einer Höhle waren in Kisten aus flachen Steinen übereinander gelegte Höhlenbärenschädel entdeckt worden und dazwischen lagen auch immer die gekreuzten Oberschenkelknochen – also genau wie hier. Schon die alten Neandertaler haben noch vor der letzten Eiszeit, das war – wartet mal – ja, vor mehr als hunderttausend Jahren irgendeinem Gott Höhlenbärenschädel geopfert, weil sie ihn damit wahrscheinlich wieder versöhnen wollten. Sie glaubten nämlich, er würde es ihnen sonst verübeln und sie vielleicht sogar dafür bestrafen, weil sie doch seine Geschöpfe getötet und verspeist hatten.«

Ein eiszeitlicher Altar – war das das Geheimnis des merkwürdigen Steinsockels? Seltsam, dass ihnen bei diesem Anblick noch nach mehr als zwanzigtausend Jahren ganz feierlich zu Mute wurde. Oder war die Opferstätte sogar noch älter, so wie die, von der Regis gerade erzählt hatte? Suzanne hielt ihre Kerze vorsichtig noch etwas näher an den Riesenschädel. »Guck mal!« Mit spitzen Fingern zupfte sie etwas neben dem linken Unterkiefer aus dem Geröllstaub und hob es hoch. »Sieht aus wie eine steinerne Messerklinge.«

Regis blickte ihr über die Schulter. »Ist auch eine! Ein schmaler Steinspan, mit einem Steinmeißel von einem Feuersteinknollen abgespalten, ungefähr so, wie man mit der Axt oder dem Beil Holzspäne von einem größeren Stück abspaltet. Danach brauchten die Steinschmiede nur noch die Ränder zu bearbeiten. Mit sehr vorsichtigen, geübten Schlägen haben sie eine scharfe Schneidekante ›retuschiert‹, wie man das nennt. Ich nehme an, dass die Cromagnon-Jäger der Eiszeit mit dem Messer den Bärenschädel sauber geschabt haben, bevor sie ihn hier so sorgfältig aufstellten.«

»Wieso bist du so sicher, dass das Cromagnon-Menschen waren? Es könnten doch, wie du selbst gesagt hast, auch Neandertaler gewesen sein?«, wandte Isabelle ein.

»Ganz sicher nicht! Weil nämlich die Neandertaler Messerklingen wie die da überhaupt noch nicht kannten! Das mit dem Meißel wurde erst viel später erfunden – in der zweiten Hälfte der letzten Eiszeit, und da waren die Neandertaler längst ausgestorben.«

Doch mitten in diesen Erklärungen schien Regis etwas einzufallen. Er hielt seine Kerze nahe ans Zifferblatt seiner Armbanduhr.

»Ach je! Wisst ihr, wie spät es schon ist? Nach neunzehn Uhr!«

Philippe fuhr auf. »Dann aber nichts wie raus hier – wenn's noch so schwer fällt, gerade jetzt! Bevor es draußen anfängt zu dämmern, müssen wir unbedingt oben sein. Denkt doch mal an die Massen von Fledermäusen! Wenn die erst losfliegen, ist der Eingang eine ganze Weile völlig verstopft! Los, beeilt euch! Gebt aber trotzdem Acht, wo ihr hintretet. Verstauchte Knöchel können wir jetzt am wenigsten gebrauchen. Morgen ist ja wieder ein Tag, da geht die Suche weiter!«

Der Aufstieg war erfreulicherweise gar kein so großes Problem, wie sie anfangs befürchtet hatten. Sie konnten sich an dem straff gespannten Seil, die Füße fest gegen den Fels gestemmt, recht gut hochziehen. Jaquin begrüßte sie mit einem wahren Freudengebell.

»Das Seil lassen wir gerade so, wie ich es befestigt habe. Hierhin verirrt sich ja nicht einmal Monsieur Vinaigre.«

Philippe grinste. »Und wenn, dann wäre er todsicher gar nicht nüchtern genug um irgendetwas Auffälliges zu bemerken. Jetzt aber nichts wie heim. Und denkt immer daran: zu keinem

Menschen auch nur ein einziges Wort über unsere Höhle!«

Er versteckte die Werkzeuge sorgfältig unter einem dichten Stechginsterbusch. Möglicherweise konnten sie ja die Schaufel oder auch die Hacke noch einmal gebrauchen und dann waren sie gleich zur Hand. Zu Hause würde keiner diese alten, längst ausgedienten Geräte vermissen.

Dann endlich machten sie sich auf den Weg, glücklich über ihren Erfolg und voller Vorfreude auf die Überraschungen, die der folgende Tag bringen würde.

Die unheimliche Bildergalerie

Es erübrigt sich zu sagen, dass der nächste Vormittag für Isabelle, Suzanne und Regis nur schwer zu ertragen war. Er wollte und wollte, so schien es ihnen wenigstens, einfach nicht vorübergehen! Die Stunden schleppten sich träge dahin. Sie strolchten ein wenig durchs Dorf, begrüßten hier und dort Verwandte und Freunde und Isabelle schaute sich auch einmal interessiert in der Apotheke ihres Onkels um. Aber der Uhrzeiger rückte trotz allem nur langsam voran. Endlich, nachdem die beiden Mädchen auch noch die Bäckerei ihres Onkels Henry mit all den praktischen neuen Maschinen ausgiebig inspiziert hatten, hörten sie von weitem das vertraute Hufeklappern. Jeremias ließ wie gewöhnlich seine langen Ohren müde herabhängen, nach getaner Arbeit und bei der unverändert anhaltenden Hochsommerhitze sein gutes Recht. Isabelle streichelte ihm die samtweichen Nüstern, während Philippe die schmalen, hohen Brotkörbe ablud.

»Also, sofort nach dem Mittagessen – gegen 14 Uhr – Treffpunkt alte Brücke«, raunte er seinen beiden Cousinen zu. Die nickten nur stumm und machten sich dann mit einem freundlichen »Au revoir« zu Tante und Onkel auf den Nachhauseweg.

Später lagen sie dann, die Arme unterm Kopf verschränkt, schon eine Zeit lang im spärlichen, dürren Gras neben der Brücke am Ufer. Es roch so herrlich »nach Sommer«, wie Suzanne das nannte, nach Thymian, Rosmarin und Lavendel.

Regis hatte auf Philippe warten müssen und um die ungewollte Verspätung wieder wettzumachen kamen die beiden atemlos über die Brücke getrabt.

Endlich oben bei ihrer Höhle angekommen, wurde Jaquin wieder vor dem Eingang angebunden, was ihm allerdings gar nicht zu passen schien. Er winselte ungeduldig, zog sich an seiner Leine fast den Hals zu und scharrte ruhelos mit den Vorderpfoten die Erde zwischen den hellen Kalksteinbrocken auf.

»Jaquin möchte so gern mit uns kommen! Es ist richtig grausam, ihn ganz allein hier oben zu lassen, und angebunden noch dazu. Wisst ihr das?« Isabelle kraulte ihn mitfühlend zwischen den traurig herabhängenden Ohren.

Philippe, der sich schon am Seil zu schaffen machte, schaute über seine Schulter zurück. »Geht aber leider nicht anders, er muss doch den Eingang bewachen. Solange wir da unten sind, lässt er bestimmt niemanden nahe herankommen. Erst wenn wir ganz sicher sein können, dass uns hier oben keiner stören kann, darf er mit.«

»Hast du's gehört, Jaquin? Morgen, spätestens aber übermorgen nehme ich dich mit, bestimmt. Versprochen ist versprochen«, flüsterte Isabelle ihm ins hochgeklappte Ohr. Ob er sie wohl verstanden hatte? Er legte sich jedenfalls gemächlich längelang hin, den breiten Kopf auf seine Vorderpfoten geschmiegt, und schaute nun anscheinend ganz zufrieden zu, wie die vier, einer nach dem anderen, in dem engen Erdloch verschwanden.

Heute ging der Abstieg rascher vonstatten. Einmal war das Seil ja bereits gebrauchsfertig befestigt und musste lediglich aufgerollt und mit dem durch einen Stein beschwerten anderen Ende voran in den Schacht hinabgeworfen werden. Zum anderen kannten sie sich inzwischen ja bereits so weit aus, dass nicht mehr jeder einzelne Schritt ein unsicheres Vorantasten war. Ihre Kerzen hatten sie schon vorsorglich mitsamt den Streichhölzern unten auf einem der ersten größeren Felsbrocken liegen gelassen. Auch der grinsende Höhlenbärschädel, an dessen »Denkmalsockel« sie sich jetzt vorbeizwängen mussten, hatte nun seinen Schrecken verloren. Aber dann wurde der Gang, der aus dem Felsensaal weiterführte und den Philippe und Regis gestern gerade entdeckt hatten, als Isabelle aufschrie, auf einmal derart eng, dass sie für eine geraume Weile nur hintereinander hergehen konnten.

Plötzlich blieb Philippe, der voranging, stehen. »Jetzt wird's schwierig«, meinte er zu Suzanne, die direkt hinter ihm kam. »Der Gang wird so niedrig, dass ich weiterkriechen muss. Lasst mich erst mal feststellen, ob es da überhaupt weitergeht und ob es einen Durchgang gibt.« Er packte den Metallbügel seiner Taschenlampe mit den Zähnen, weil er sich tatsächlich von jetzt ab auf allen vieren fortbewegen musste.

Die anderen hockten sich, so gut es sich eben machen ließ, um Suzannes Kerze, die Knie hochgezogen und die Rücken fest gegen die Felsenwand des engen Ganges gepresst.

»Ganz schön kühl, der Boden und die Wände«, meinte Isabelle. »Wisst ihr was? Morgen nehmen wir Pullover mit! Das wäre vielleicht etwas, wenn wir alle einen Schnupfen bekämen! Wie sollten wir denn das euren Eltern erklären – bei der Hitze da oben!«

»Gute Idee, aber die Pullover müssen wir ganz heimlich aus dem Haus bringen, sonst hält uns jeder für übergeschnappt.«

Nachdem Philippes Stiefelsohlen in der engen Öffnung verschwunden waren, hörten sie zuerst noch sein mühsames Schnaufen und ab und zu, jedoch immer leiser und leiser werdend, auch mal ein »Autsch« oder »Verflixt noch mal«. Dann kullerte irgendwo ein Stein mit hellem, aber schon recht fernem Klang gegen die Wand. Danach war es still, unheimlich still sogar, denn niemand sagte auch nur ein Wort. Sie hockten im flackernden Schein der tropfenden Kerze, die ihre Schatten seltsam lebendig über die graue Steinwand hin und her huschen ließ, und lauschten angestrengt.

Isabelle meinte in dieser Stille so tief unter der Erdoberfläche ihr eigenes Herz schlagen zu hören. Daher schreckte sie auch umso mehr zusammen, als unerwartet Philippes Stimme ganz dumpf klingend von irgendwo jenseits der engen Passage ertönte.

»Hallo, könnt ihr mich hören? Hallo!«

Regis legte seine beiden Hände wie einen Schalltrichter vor den Mund. »Hallo, Philippe, was gibt's? Sollen wir nachkommen?«

»Natürlich. Es ist vielleicht dreißig Meter ein bisschen unbequem, aber dann werdet ihr Augen machen, das kann ich euch versprechen! Mehr wird vorerst nicht verraten. Kriech du voran, Regis, und vergiss nicht die Taschenlampe zwischen deine Zähne zu nehmen. Die Kerzen blast besser aus, die können wir dann hier wieder anstecken.«

Es war aber doch beschwerlicher, als sie es sich vorgestellt hatten. An der engsten Stelle mussten sie sich flach auf den Bauch legen um sich unter einem niedrigen Felsvorsprung hindurchzuzwängen. Da hätten sie wirklich keine brennenden Kerzen gebrauchen können! Isabelle, ganz am Schluss, sah kaum noch etwas von dem spärlichen Lichtkegel, den Regis' Lampe vorauswarf. Sie kroch auf Ellbogen und Knien, während sie immerfort versuchte die eine Hand gleichzeitig über den Kopf zu halten, um sich nicht unversehens an einer scharfen Steinkante zu stoßen.

Dann war das Schlimmste überstanden. Auf einmal konnten sie sich wieder aufrichten und die steif gewordenen Glieder dehnen. Eine kleine Strecke weiter vor sich bemerkten sie ein seltsames Glitzern. Das musste wohl das Ende des Ganges sein, wo Philippe anscheinend eine Kerze angezündet hatte. Aber wieso glitzerte es so auffällig?

Regis, der nur noch seinen Kopf ein wenig gebückt halten musste, schlurfte zuerst durch die fast runde Öffnung am Ende des Durchgangs. Aber noch bevor er etwas Genaueres erkennen konnte, erstickte Suzanne, die ihm voller Neugierde über die Schulter blickte, einen Überraschungsschrei hinter der vorgehaltenen Hand. Auch Isabelle riss vor Erstaunen die Augen auf, als sie als Letzte den engen Gang endlich hinter sich hatte. Ein unterirdischer Feenpalast schien das zu sein, ein Märchenschloss, wie es sie sonst wohl nur in der Fantasie von Dichtern geben mag. Das Licht der nun rasch wieder angezündeten Kerzen brach und spiegelte sich an zahllosen abenteuerlich geformten Tropfsteinen, die, von herabrieselndem Wasser befeuchtet, wie überzuckert blitzten und glänzten. Von der hohen Decke des Felsensaales, in den ihr Gang mündete, hingen meterlange Stalaktiten* wie übergroße Eiszapfen herab und vom Boden waren ihnen in ungezählten Jahrtausenden Stalagmiten** wie schlanke Bäume entgegengewachsen. An einigen Stellen hatten sich diese Kalkabsonderungen des herabtropfenden Wassers vor langer Zeit be-

* Säulentropfsteine (hängend)
** Säulentropfsteine (vom Boden aufstrebend)

reits in der Mitte getroffen, waren miteinander verschmolzen und bildeten nun durchgehende »Säulen«.

Philippe, der Entdecker dieser Pracht, schaute die anderen triumphierend an. »Na, hab ich vielleicht zu viel versprochen?«

»Mensch, toll!«, war alles, was Isabelle hervorbrachte. Suzanne hatte Philippe die Taschenlampe aus der Hand genommen und ließ den Lichtstrahl suchend nach allen Seiten über die bizarren Tropfsteingebilde hinweghuschen.

»Guck mal, ein richtiger ›Wasserfall‹ aus Stein«,

rief sie, »und da drüben ein riesiger ›Kerzenleuchter‹.«

Nein, man brauchte wahrhaftig nicht einmal viel Fantasie um immer wieder Altbekanntes zu entdecken: dort, unter einem nischenartigen Felsvorsprung, eine ganze Gesellschaft schief gewachsener, buckliger Zwerge mit spitzen, zum Teil überhängenden Zipfelmützen, daneben ein demütig vornübergebeugter Mönch in wallender Kutte, Lots Frau aus der Bibel, zur »Salzsäule« erstarrt vor einem Steinaltar mit ziselierter Spitzendecke!

In einer Art »Seitenkapelle« fanden sie eine Decke aus Abertausenden von nahezu lückenlos nebeneinander hängenden, nicht einmal bleistiftdicken und nur etwa dreißig Zentimeter langen Stalaktiten.

»Wisst ihr, woran die mich erinnern?«, fragte Isabelle. »Genau wie Spaghetti sehen die aus und innen hohl sind sie sogar auch.« Neugierig war sie ganz nah herangetreten und hatte eines der »Spaghettiröhrchen« aus gelblich weißem Kalk abgebrochen.

»Nicht, lass das«, wies Philippe sie unwirsch zurecht. »Hast du dir mal überlegt, wie lange das dauert, bis so ein von der Felsendecke herabhängender Stalaktit auch nur einen einzigen Zentimeter gewachsen ist? Ungefähr fünfzig Jahre. Ja, da guckst du – und brichst so was in einer halben Sekunde einfach ab!«

Betroffen schaute Isabelle auf das bisschen Kalk in ihrer Hand. »Ja, entschuldige, natürlich, wenn man's so bedenkt. Sicher, du hast ganz Recht«, stotterte sie ein wenig kleinlaut. »Wir dürfen nichts kaputtmachen hier unten. Wenn das jeder täte, der später einmal unsere Höhle besucht, dann wäre sicher schon bald nicht mehr viel übrig von der ganzen Herrlichkeit.« Schuldbewusst legte sie den abgebrochenen Stalaktiten auf einen breiten, kurzen Stalagmiten, der wie ein kleiner Tisch vor ihr aus dem Boden ragte.

Als aber nun Regis noch einmal mit hoch erhobener Kerze die Stelle suchte, wo Isabelle den Stalaktiten abgebrochen hatte, pfiff er plötzlich durch die Zähne. »He, kommt doch schnell noch mal zurück«, rief er hinter den anderen her. »Ich glaub, da haben wir was Wichtiges übersehen!« Er ließ sich die Taschenlampe geben und richtete den hellen Lichtkegel auf eine Stelle der Decke, wo sie nur noch sanft gewellt war, aber keine Stalaktiten mehr von ihr herabhingen.

»Da, seht ihr da oben die drei roten Streifen? Nein, nicht dort, ein bisschen weiter links!«

»Ich kann immer noch nichts erkennen«, maulte Suzanne, »zeig doch mal genauer, wo du meinst.«

»Und das, was ist das hier?« Regis fuchtelte mit dem Lichtstrahl triumphierend an einer bestimmten Stelle der Höhlendecke heftig hin und her. Er ließ den Lichtkegel immer wieder um dasselbe Fleckchen kreisen.

»Mann, jetzt kann ich es sehen! Drei dicke rote Striche, wie Wellen sehen die aus. Hast du eine Ahnung, woher die stammen?«, entfuhr es Suzanne.

»Woher?« Regis war wieder ganz der überlegene »Fachmann«. »Das Woher ist nicht das Problem. Denkt doch mal ein bisschen nach! Ganz regelmäßige, parallele Linien in einer Farbe, die sonst hier unten gar nicht vorkommt, die können doch nicht irgendwie ganz von alleine entstehen. Die müssen Menschen auf den Fels gemalt haben! Das ist nämlich Rötel, eine Farbe aus rotem Eisenocker, den die Cromagnon-Menschen meistens benutzt haben, wenn sie ihre Höhlenbilder malten. Wenn sie auch noch schwarze Farbe brauchten, dann suchten sie sich Manganoxid und zerrieben es zu Pulver! Nein, das Problem heißt hier: Was bedeuten die Zeichen?«

»Aber wir wissen jetzt doch endlich ganz sicher, dass die Cromagnon-Menschen der Eiszeit diese Höhle nicht nur gekannt haben, sondern dass sie auch irgendwo hier unten Bilder gemalt haben müssen«, warf Philippe ein. »Du glaubst doch wohl selber nicht, Regis, dass die drei Striche hier schon alles sind?«

»Nein, ganz bestimmt nicht!« Regis richtete noch einmal den Lichtstrahl seiner Taschenlampe voll auf die rätselhaften Zeichen. »Es gibt Eiszeitforscher, die meinen, Striche wie die hier wären vielleicht so etwas wie Wegweiser – oder vielleicht auch nur eine Art Entfernungsangabe wie bei uns heute irgendwelche Verkehrshinweisschilder.«

»Vielleicht haben sich die Maler auch nur ihre mit Farbe bekleckerten Finger nach der Arbeit einfach an einer Stelle abgewischt, wo der Felsen einigermaßen glatt und ohne Stalaktiten war«, warf Isabelle ein.

»Egal, ob das jetzt Hinweiszeichen sind, Entfernungsangaben oder nur Spuren von farbverschmierten Fingern ohne bestimmte Absicht«, rief

Suzanne ungeduldig, »sie beweisen in jedem Fall, dass wir nicht sehr weit von Eiszeitmalereien sein können!«

»Na denn, worauf warten wir eigentlich noch?« Auch Philippe hatte jetzt die Ungeduld gepackt. Eine große, unbekannte Höhle mit gar nicht auszudenkenden Geheimnissen vor sich zu haben und hier einfach nur so herumzustehen wegen ein paar roter Striche an der Decke! »Ich schlage vor, wir machen es wieder genauso wie in dem ersten Höhlensaal und suchen die Wände ab. Irgendwo muss der Gang ja weiterführen.« Unschlüssig schaute er in die Runde. »Hier ist es ein bisschen schwieriger einen Ausgang zwischen oder besser hinter all den vielen Tropfsteinen zu finden. Also dann: Isabelle und Suzanne suchen auf der Seite da drüben, Regis und ich fangen hier an, bis wir uns am anderen Ende treffen. Jeder Suchtrupp bekommt eine Taschenlampe.«

Wirklich: Einfach war diese Forscherarbeit weiß Gott nicht! Man musste schon höllisch aufpassen um auf dem Lehmboden, der hier an vielen Stellen ganz durchgeweicht und schmierig war, nicht auszurutschen. An den tief herabhängenden Stalaktiten konnte man sich ganz gehörig den Kopf stoßen oder sogar zwischen zwei Kalksäulen beim mühsamen Hindurchzwängen stecken bleiben. Mitunter war der Abstand zwischen Boden und Decke dieses Höhlensaales derart gering, dass die Kinder nur noch auf dem Bauch robbend vorankamen, wobei dann natürlich auch noch feuchte Stellen vermieden werden mussten. Dabei außerdem eine Taschenlampe oder gar eine brennende Kerze in der Hand halten zu müssen machte das Ganze nur noch mühsamer. Kein Wunder also, wenn es ihnen trotz der Kellerkühle in ihrem unterirdischen Felsenreich ganz gehörig warm wurde!

Philippe und Regis leuchteten gerade mit ihrer Taschenlampe eine tiefe Nische hinter mehreren gitterartig eng nebeneinander stehenden Stalagmiten aus, als sie ein durchdringender Schrei jählings zusammenzucken ließ. Regis hätte um ein Haar seine Kerze fallen lassen, so schauerlich dröhnte das vielfältige Echo! Die Jungen, die vor dem Stalagmiten-Gitter gehockt hatten, sprangen auf und hasteten stolpernd hintereinander her zur gegenüberliegenden Wand des Saales, über von der Decke bereits vor Urzeiten herabgestürzte Felsbrocken hinweg und unter spitzen Stalaktiten hindurch, bis sie endlich, nach Atem ringend, neben der schreckensbleich auf dem glitschigen Boden vor einem engen Spalt kauernden Suzanne anlangten.

»Um Himmels willen, was ist denn jetzt schon wieder los? Was ist passiert? Wo steckt Isabelle, hat sie sich was gebrochen, ist sie gestürzt? Sag doch endlich was.« Philippe hatte seine Cousine an der Schulter gepackt und rüttelte sie. »Du, sag was!«

Doch Suzanne schien derart perplex, dass sie nur stumm auf den schmalen Durchschlupf deuten konnte. Philippe zwängte sich, die eine Schulter voran, schnaufend vor Erregung und Anstrengung hinein.

»Isabelle«, schrie er, indem er sich ohne Rücksicht auf die seine Kleider schürfenden Felswände voranschob. »Was hast du, was soll das hysteri...« Das Schimpfwort blieb ihm buchstäblich in der Kehle stecken vor Entsetzen. Auge in Auge sah er sich einem angreifenden Bison gegenüber, der ihn mit gesenkten spitzen Hörnern bedrohte und dessen geblähte Nüstern vor Wut geradezu schäumten und hörbar zu schnauben schienen.

Noch niemals, auch auf keiner noch so gelungenen Fotografie in irgendeinem Tierbuch, hatte Philippe die rasende Angriffslust eines wilden, gefährlichen Tieres derart vollendet dargestellt gesehen, so lebensecht mitten in voller Bewegung festgehalten, dass man tatsächlich glauben konnte den heißen Atem des Bisons im Gesicht zu spüren. Verständlich also, wenn selbst der Mutigste beim völlig unerwarteten Anblick dieses lebensgroßen Tiergesichts, das der Strahl der Taschenlampe urplötzlich aus dem ihn umgebenden, unbekannten Dunkel herausreißt, schier zu Tode erschreckte.

Isabelle hatte indessen ihr erstes Entsetzen überwunden. Jetzt leuchtete sogar unverhohlener Entdeckerstolz in ihren Augen. Suzanne und sie waren es ja gewesen, die den Ausgang aus dem Tropfsteinsaal und damit gleichzeitig auch den Zugang zu einer dahinter gelegenen weiteren Felsenhalle entdeckt hatten! Wenn der Anschein nicht täuschte, enthielt sie noch mehr Bilder. Hatte Regis nicht erzählt, dass die Cromagnon-Jäger der Eiszeit hauptsächlich an besonders tief im Inneren der Erde gelegenen, ganz verborgenen Stellen großer Höhlen die Decken und Wände bemalten?

»Schnell, kommt, es ist mir nichts passiert«, rief sie Suzanne und Regis zu, die immer noch voll

banger Erwartung jenseits des engen Durchlasses auf dem Boden kauerten und sich nicht weiter vorantrauten. Auch ihnen blieb das erste Erschrecken beim Anblick des wütenden Bisongesichts nicht erspart.

»Ob das vielleicht so eine Art Wächter ist, der alle fremden Eindringlinge in den ›heiligen‹ Bereich der Höhle in Schrecken versetzen und zurückjagen soll?«, flüsterte Isabelle.

»Na, bei mir jedenfalls hätte nicht viel gefehlt und es wäre ihm gelungen! Überlegt mal: Seit mehr als zwanzigtausend Jahren stiert der Kerl jetzt in einem fort so wütend in die Dunkelheit.« Suzanne schüttelte sich.

»Los doch!« Regis wurde allmählich ungeduldig: »Jetzt, wo wir endlich am Ziel sind, steht ihr da und quatscht. Wir müssen alle Wände und die Decke ganz systematisch ableuchten und dürfen keinen Winkel auslassen. Also nicht einfach nur so wild mit der Lampe in der Gegend herumfuchteln!«

Suzanne ließ den Lichtstrahl ihrer Taschenlampe ganz langsam an der unmittelbar zur Rechten anschließenden Wand entlanggleiten und Philippe folgte mit der zweiten Lampe genau ihren Bewegungen, so dass die runden Lichtflecke beider sich überdeckten und dadurch die doppelte Helligkeit erreicht wurde. Nein, es war nicht zu fassen! Dieser neu entdeckte, unterirdische Felsensaal war eigentlich nur eine Kammer im Vergleich zu der riesigen Tropfsteinhöhle – vielleicht zehn Meter breit und allerhöchstens etwa fünfzehn Meter lang. Wände und Decken waren fast eben und glatt und somit hervorragend zum Bemalen geeignet. Fast genau in der Mitte wölbte sich ein rund gewaschener Felsen gegen die Decke empor und ließ nur noch einen schmalen, kaum mehr als siebzig Zentimeter breiten Zwischenraum frei.

Und überall Bilder! Herrliche, zum Teil sogar lebensgroße Darstellungen längst ausgestorbener Jagdtiere der Cromagnon-Menschen der letzten Eiszeit.

Es verschlug ihnen anfangs die Sprache vor Glück. Doch das sollte nur einen Moment lang andauern, dann begannen sie ohne Verabredung und ganz spontan einen wahren Freudentanz aufzuführen. Nicht einmal der doch schon so erwachsene Philippe genierte sich mitzuhüpfen, so hoch es die Felsendecke zuließ. Wild schlenkerte er mit den Armen und alle lachten und schrien durcheinander. Sie schlugen sich gegenseitig auf die Schultern, dass es nur so klatschte, ohne vor Aufregung und übermütiger Freude auch nur den geringsten Schmerz dabei zu verspüren. Suzanne und Isabelle fielen sich begeistert um den Hals und tanzten gemeinsam um den großen Felsblock in der Saalmitte herum. »Herrschaften«, überschrie Philippe das Getobe, »jetzt regt euch endlich mal wieder ab und beruhigt euch. Hebt euch doch noch ein bisschen Begeisterung auf für die genauere Erforschung unserer Bilderhöhle. Zuerst zünden wir jetzt einmal alle Kerzen an, die wir dabeihaben.«

Mit klopfenden Herzen befolgten sie seine Anweisung und klebten brennende Kerzen mit ein paar Tropfen Wachs rund um den Mittelfelsen. Jetzt war es überall in der Kammer hell genug um jeden einzelnen Farbstrich an Wänden und Decken erkennen zu können.

»Hier, guckt euch das mal an!« Philippe wies auf ein Bild an der Decke. Ganz weit in den Nacken mussten sie die Köpfe zurücklegen um es in seiner vollen Länge bewundern zu können.

»Das ist ein Mammut. Könnt ihr erkennen, wodurch es sich von den heutigen Elefanten schon auf den ersten Blick unterscheidet? Es hat lange, zottige Haare, die bis hinunter zum Boden reichen, ein richtiges Fell. Sonst wäre es ja wohl auch erfroren in der Eiszeit.«

Suzanne starrte auf den hochgewölbten Hinterkopf des Tieres. »So einen komischen Kopf hat aber doch kein Elefant, siehst du das nicht?«

»Doch, die Mammuts schon, das war bei denen ganz normal! Auch daran kann man ja sehen, dass es ausgestorbene Eiszeittiere sind. Und ihre Stoßzähne waren auch viel länger und weiter nach rückwärts gebogen als bei den heutigen Elefanten.« Philippe fuhr mit dem Schatten seines Zeigefingers die beiden schwarzen Kurven nach, mit denen der Eiszeitmaler die mächtigen Mammutstoßzähne dargestellt hatte. »Hier ist das Auge, komisch, da hat der alte Cromagnon-Maler einfach ein Dreieck hingesetzt, sieht ganz wie moderne Malerei aus! Und die Füße, guckt mal, die Füße, richtige breite Stempel. Das hat vielleicht Spuren gegeben, wenn die damit im Schnee herumgestapft sind. Da brauchten die Jäger nicht lange zu suchen!« Wie ein geübter Fremdenführer richtete er seinen Taschenlampen-Kegel immer auf die Stelle, die er gerade erklärte.

Aber wer will da schon dauernd tatenlos und immer nur zuhörend herumstehen? Die anderen wollten lieber selbst auf Entdeckung ausgehen und wenn möglich etwas ganz Besonderes, etwas Einmaliges finden. Jeder versuchte also mit seinen Entdeckungen allen zuvorzukommen und sie zu übertrumpfen.

»Suzanne, guck mal hier das Pferd«, rief Isabelle, »siehst du, wie es lacht?« In der Tat verzog das Wildpferd, das Regis an der stehenden Mähne und den dunkler gezeichneten Beinen sowie seinem verhältnismäßig kleinen Kopf sofort als solches erkannt hatte, etwas seine Nüstern und das wirkte in dem zuckenden, unruhigen Kerzenlicht wie ein hämisches Grinsen.

»Komisch.« Isabelle legte den Finger an die Nase und blickte mit schräg geneigtem Kopf von unten her zu dem Pferd an der Decke hinauf.

»Was ist komisch?«, wollte Suzanne wissen.

»Ich kann nicht begreifen, wie einer ein Pferd so in einem Zug, ohne es an irgendeiner Stelle verbessern oder auch nur nachzeichnen zu müssen, malen kann. Oder kann einer von euch so was wie Radierspuren sehen? Eben nicht! Und dabei musste er ja wohl auch noch auf dem Rücken liegen, während er das Bild malte. Oder nicht? Auf dem Felsbrocken da oben kann doch niemand auch nur knien, dafür ist der Abstand zur Höhlendecke viel zu gering. Da konnte der Maler doch immer nur entweder den Kopf von seinem Pferd sehen, den Bauch oder das Hinterteil mit dem langen Schwanz, aber niemals alles auf einmal zusammen. Trotzdem, nichts ist falsch, die Proportionen stimmen alle!«

»Hmm!« In Regis' beifälligem Brummen klang so etwas wie Achtung mit. »Du, das ist mir wirklich noch nicht aufgefallen! Das soll mal einer dem alten Eiszeitjäger nachmachen! Der war wirklich ein großer Künstler. Ich glaube, so was bringt nicht einmal unser Zeichenlehrer fertig: mit einem Strich, ohne hinterher noch irgendetwas zu verbessern, ein Pferd richtig zu zeichnen, von dem er immer nur einen Teil sehen kann! Habt ihr an der anderen Wand da drüben das Nashorn schon entdeckt? Eins mit zwei Hörnern, wie es sie heute noch in Afrika gibt.«

Sie kletterten über Steine und Geröll hinweg zur anderen Seite der Felsenkammer. Auch das Nashorn war, genau wie Mammut und Wildpferd, nur etwa in halber Lebensgröße dargestellt und wirkte ebenso lebendig; obwohl der Maler nur schwarze, gelbbraune und rote Farbe benutzt hatte.

»Das hat ja auch ein Fell.« Suzanne deutete auf die vielen langen, dunklen Striche am Bauch des Tieres.

»Na, was denkst du denn.« Regis beugte sich weiter vor um die Zeichnung noch genauer untersuchen zu können. »Ohne ein dichtes Fell, das sie warm hielt, hätten doch ausgerechnet Tiere, die sonst nur in heißen Ländern leben, während der Eiszeit erfrieren müssen. Das war ein ›Wollnashorn‹. Die heute noch in Afrika und was weiß ich sonst noch irgendwo am Äquator leben, haben eine nackte Haut, wie die heutigen Elefanten ja auch.«

»Und das da?« Isabelle deutete auf ein Tier mit zwei langen, nach rückwärts gebogenen Hörnern.

»Wahrscheinlich ein Steinbock.« Regis fuhr die Umrisse des einen Hinterbeins vorsichtig mit dem Zeigefinger nach. »Donnerwetter, waren die raffiniert! Die haben sich zum Malen Stellen ausgesucht, wo Felsvorsprünge oder härtere, herausstehende Adern im Stein irgendeinem Körperteil ähnlich sehen. Hier zum Beispiel hat der Maler Schenkel, Ferse und den einen Huf auf so einen Vorsprung gemalt. Dadurch wirkt das alles noch viel echter. Sozusagen Malerei und Reliefdarstellung in einem!«

»Klasse.« Suzanne wies auf ein anderes Bild unmittelbar neben dem Steinbock. »Bei dem Ochsen da hat der Maler den Platz so ausgesucht, dass gerade an der Stelle des Auges ein runder Feuersteinknollen sitzt.«

»Das ist doch kein ›Ochse‹.« Regis schürzte verächtlich die Lippen. »Wenigstens kein gewöhnlicher: ein Auerochse oder ›Ur‹. Das siehst du doch an den ganz anderen, viel längeren und so komisch geschwungenen Hörnern. Von den Uren stammen übrigens alle unsere heutigen Hausrinder ab, nicht von den Bisons!«

»Hier ist noch ein Bison, ein ganzer, nicht nur der Kopf.« Isabelle hatte während des kleinen Streites zwischen den beiden die Wand noch weiter abgeleuchtet. Das Tier war im Lauf dargestellt, oder besser gesagt: wie es anscheinend mitten in der eiligen Flucht plötzlich seine beiden Vorderhufe gegen den Erdboden stemmte und anhielt, als sei es auf der Stelle festgebannt.

»Das war es auch«, meinte Philippe und hielt seine Kerze etwas näher an das prachtvolle Gemälde. »Guck mal, ein Pfeil – mit der Spitze gerade in der Schulter! Heute würde ein Jäger sagen: ein prima Blattschuss, absolut tödlich. Deshalb konnte der Bison auch nicht mehr weiterrennen!«

»Dann ist das ja eine richtige Jagderzählung«, wunderte sich Suzanne, »nur nicht mit Worten, sondern gemalt.«

»Ja, aber nicht die Geschichte von einer Jagd, die der Maler schon erlebt hat, vielleicht am Tag vorher, sondern von einer, die erst geplant war!«

Suzanne sah ihn etwas verdattert an. »Was soll denn das nun wieder bedeuten? Wie kommst du denn auf so eine komische Idee?«

»Bestimmt, das ist kein Witz«, verteidigte Regis die Behauptung Philippes. Und dann erzählte er, was er über die merkwürdigen, uralten Jagdbräuche der Cromagnon-Jäger gehört hatte. Sie beschworen mit diesen Bildern ihr Jagdglück, das sie sich für den nächsten Tag erhofften, und glaubten, wenn sie Speere oder Pfeile in die Körper der Tiere hineinzeichneten, an einer Stelle, von der sie aus Erfahrung wussten, dass dort ein Treffer tödlich war, dann würden sie mit ihren echten Speeren und Pfeilen die lebendige Beute ebenfalls genau dort treffen. Heute noch ritzen die Buschleute in Afrika, bevor sie auf die Jagd gehen, ihre Beutetiere in den Sand und durchbohren sie anschließend an der verwundbarsten Stelle mit ihrem Speer. Sie glauben fest daran, dass diese Beschwörung des Jagdglücks wie ein Zauber wirkt. Es ist eine symbolische Tötung, eine »Jagdmagie«.

Zweifellos haben die vielen Felsmalereien der Eiszeit, in denen Pfeile und Speere dargestellt sind, genau die gleiche Bedeutung!

Suzanne und Isabelle blickten mit einer Art andächtiger Scheu zu dem so lebensecht gemalten Bison hinüber. »Ein uralter Zauber also, hier unten, wo wir jetzt stehen, vor vielen Tausenden von Jahren schon von irgendeinem Stammesmedizinmann oder doch so etwas Ähnlichem vollführt, da kann es einen ja heute noch gruseln. Aber«, nachdenklich legte Suzanne ihre Stirn in Falten, »sagt mal, müssten dann eigentlich diese eiszeitlichen Bilderhöhlen nicht so etwas wie Feier- oder Kultstätten gewesen sein, für die Cromagnon-Menschen also ungefähr das, was für uns heute Kirchen und Kapellen sind?«

»Genau«, bestätigte Regis anerkennend. »Übrigens ist das ja auch der Grund dafür, dass immer wieder neue Bilder einfach über die älteren gemalt wurden. Dahinten kann man's ganz deutlich sehen: ein Pferd schräg über einer Ziege oder einem Steinbock! Und daneben der Hirsch mit seinem großen Geweih ist ohne Rücksicht einfach so quer über einen Bison gemalt. Da unten hat der Maler zwei Steinbockköpfe mitten auf den Leib des Mammuts gesetzt. Die Bilder haben wohl nur für eine einzige Jagd gedient, und wenn eine neue Jagd angesetzt war, musste eben auch ein neues Tierbild gemalt werden.«

»Dann war das also gar kein ›Wandschmuck‹ so wie heute Tapeten, ich meine Bildtapeten, die kennt ihr doch? Oder Wandteppiche und Gemälde?« Isabelle schien etwas enttäuscht.

»Nein, ganz bestimmt nicht. Weißt du auch warum? Die Eiszeitjäger wohnten doch überhaupt nicht in den Höhlen, weil es da drinnen viel zu kalt und zu nass war! Höchstens der Eingang einer Höhle war zum Wohnen geeignet, aber meistens haben die Cromagnon-Menschen Abris vorgezogen.«

Philippe hatte inzwischen alle Wände noch einmal sorgsam mit seiner Taschenlampe abgeleuchtet und dabei hinter einem kleinen Wandvorsprung das Bild eines prächtigen Riesenhirsches entdeckt, mit weit ausladendem Schaufelgeweih. Auch hier hatte der Maler natürliche Gesteinsvorsprünge so geschickt ausgenutzt, dass die langen Beine des Tieres und auch ein Teil seines Geweihs plastisch als Relief hervortraten. Als aber Philippe in der Hocke etwas rückwärts rutschte um ein wenig Abstand und dadurch einen besseren Überblick zu gewinnen, stieß er mit seiner Ferse gegen etwas, das klirrend zur Seite rollte.

»Nanu«, rief er erstaunt und fasste nach dem eigenartig geformten Stück Stein, »ich glaube, da habe ich zufällig etwas Wichtiges gefunden!« Es war ein sorgsam geglätteter Stein, fast wie eine große Tasse geformt und mit einem kurzen, stielartigen Fortsatz versehen.

Regis nahm ihn behutsam in beide Hände, nachdem er seine Kerze Isabelle hingehalten hatte. »Da, nimm sie mal einen Augenblick! Mensch, Philippe, weißt du, wo wir so ein Ding schon mal gesehen haben? In Les Eyzies im Museum! Da liegt ein ganz ähnlich ausgehöhlter Stein mit genauso einem Stiel in einer Vitrine! Nun strengt mal euren Grips an, ihr beiden«, wandte er sich seinen Cousinen zu. »Was, glaubt ihr, könnte das einmal gewesen sein?«

»Sieht aus wie eine kleine Kasserolle, so eine Art Pfännchen für alle möglichen Sachen zum Überbacken oder wie wir es beim Grillen gebrauchen. Aber dafür ist die Wand zu dick. Das war bestimmt kein Kochtopf oder so, es geht ja auch kaum was hinein!«

»Aber guck mal«, Isabelle deutete in die Aushöhlung der ›Steinpfanne‹, »da ist die Wand ja ganz schwarz und verkrustet. Anscheinend ist doch etwas darin gekocht oder gebacken worden.«

»Ihr seid gar nicht so dumm.« Regis meinte das durchaus als Anerkennung. »Nur: Gekocht oder gebacken haben die Cromagnon-Jäger nicht in solchen Gefäßen. Nein, das war eine Lampe!«

Verständnislos sahen ihn die beiden Mädchen an. Unter einer Lampe stellten sie sich etwas ganz anderes vor.

»Wirklich? Und wie hat das funktioniert?« Suzanne schaute Regis fragend an.

»Das Schwarze da«, er kratzte vorsichtig mit dem Daumennagel daran herum, »das sind Reste von Tierfett. Das haben die Cromagnon-Menschen nämlich als Brennmaterial für ihre Lampen benutzt, so wie man später Öl oder hier bei unseren Kerzen Wachs dafür genommen hat.«

Auch Isabelle tippte einmal mit der Fingerspitze sachte gegen die schwarze Kruste. »Und der Docht?«, fragte sie. »Die müssen doch das Fett mit einem Docht verbrannt haben. Du bekommst ja auch eine Kerze ohne Docht nicht zum Leuchten!«

»Von dem Docht ist natürlich längst nichts mehr übrig«, meinte Regis. »Wahrscheinlich war das nämlich nur ein Stück Fell oder auch ein zusammengedrehter Darm von einem gejagten Tier.«

Suzanne schaute nachdenklich von der primitiven Steinlampe zu den herrlichen Bildern an Wänden und Decke, die einmal im Licht ihres blakenden und rußenden Dochtes gemalt worden waren und die noch heute so leuchtend und farbenprächtig waren wie vor nahezu zwanzigtausend Jahren. »Wisst ihr was? Ich krieg immer mehr Respekt vor unseren eiszeitlichen Vorfahren. Stellt euch das doch nur einmal vor: Mit so wenigen Farben, schwarzer, roter oder manchmal auch mehr rötlichgelber, nur im trüben Licht von so ein paar Pfännchen-Lampen so wunderschöne Bilder zu malen, und alles aus der Erinnerung und ohne Fehler. Ich finde das ganz unglaublich!«

Darüber hatten sie sich tatsächlich noch gar keine Gedanken gemacht. Stumm blickten sie einander an und kamen sich auf einmal in dieser geheimnisumwitterten Welt der Cromagnon-Menschen wie Eindringlinge vor. Ja, schlimmer noch, beinahe wie Diebe in einem fremden Haus!

»Wie war das doch noch mit der sagenhaften ›Rache der Pharaonen‹, als damals die Erforscher der alten ägyptischen Königsgräber von einer geheimnisvollen Krankheit befallen wurden? Ob nicht auch hier, im Heiligtum der Eiszeitjäger, irgendein urzeitlicher Zauber denjenigen bedroht, der die Grabesruhe stört, in die verborgene Unterwelt eindringt und sie aus ihrem jahrtausendealten Schlummer weckt?«

Isabelle lief unwillkürlich eine Gänsehaut über den Rücken und ausgerechnet in diesem Moment musste Suzanne auch noch auf ein seltsames Geräusch aufmerksam machen. »Horcht doch mal«, unterbrach sie die beklemmende Stille und hob, genau wie in der Schule, den rechten Zeigefinger in die Höhe. »Hört ihr auch etwas?«

Tatsächlich! Jetzt, wo sich alle mucksmäuschenstill verhielten, war ein rätselhaftes »Klock-klack-klick« in regelmäßigen Abständen nicht zu überhören.

»Was kann das nur sein?«, flüsterte Isabelle. »Ich glaube, es kommt aus dieser Richtung.« Sie deutete zur hintersten Ecke der Felsenkammer, die jetzt völlig im Dunkeln lag und die sie auch noch nicht genauer in Augenschein genommen hatten.

Regis ließ sich von Suzanne die Taschenlampe reichen und ging, sorgfältig den Boden mit dem hellen Lichtstrahl absuchend, gebückt langsam auf die unbekannte Schallquelle zu. Die anderen lauschten immer noch dem geheimnisvollen »Klock-klack-klick«. Auf einmal klangen Regis' Schritte schlurfend, scharrend. Er hatte sich zwischen zwei großen Felsbrocken hindurchgezwängt und schob sich nun, tief in der Hocke, langsam weiter vorwärts.

»Hier scheint der Ausgang zu sein«, rief er über die Schulter zurück. Dann wurde es erneut so still, dass man es wieder deutlich hören konnte: »Klock-klack-klick«.

»He!« Regis' Ruf schien irgendwo aus der Tiefe zu kommen, er klang dumpf und dennoch ganz anders hallend, als sie es sonst hier unten nun schon gewohnt waren, und war gefolgt von einem mehrfachen, diesmal jedoch ziemlich klar verständlichen Echo.

»Kommt, kommt schnell, ich hab 'ne tolle Überraschung für euch – wieder eine!«

Philippe rutschte von dem Felsen herunter, auf den er sich inzwischen zum Ausruhen gesetzt hatte, und hastete auf die dunkle Ecke zu. Schon war er in dem engen Durchlass zwischen den beiden Felsen und arbeitete sich weiter voran, als Isabelle und Suzanne, die auf ihre Kerzen achten mussten, aufgeregt folgten.

Dann endlich, als sie alle die niedrige Passage hinter sich hatten, sahen sie Regis. Er stand hoch aufgerichtet da, ein stolzer Entdecker, und reckte seine Taschenlampe hoch über den Kopf. Ihr Strahl war auf eine unheimliche, dunkle Wasserfläche gerichtet und da hörten sie auch in ihrem atemlosen Schweigen wieder die unverständlichen Geräusche. Ein Wassertropfen, der in regelmäßigen Zeitabständen von der hohen Decke des nun wieder weiteren Ganges herabfiel, klatschte auf den düsteren Spiegel dieses unterirdischen Gewässers und erzeugte dabei nicht nur das »Klock-klack-klick«, sondern auch leichte Wellen, die sich als Ringe gleichförmig nach allen Richtungen ausbreiteten.

»Ein Fluss, Suzanne, ein unterirdischer Höhlenfluss.« Isabelles Stimme war schon wieder zu einem Flüstern herabgesunken.

»Glaub ich nicht«, sagte Philippe, »da, guck mal!« Er warf ein Streichholz auf die Wasserfläche, wo es unbeweglich liegen blieb. »Ein Fluss hat immer Strömung! Das hier muss also ein unterir-

discher See sein oder auch nur eine Art größere Pfütze. Wahrscheinlich ist das nichts anderes als Regenwasser, das allmählich durch Risse und Spalten im Gestein nach unten gesickert ist und sich hier schon seit sehr langer Zeit angesammelt hat. Bitte, seid jetzt mal einen Augenblick ganz still.«

Er hob einen kleinen Stein auf und warf ihn zwei, drei Meter weit in das fast schwarze Wasser, wobei er angestrengt mit vorgeneigtem Kopf lauschte.

»Tief scheint es nicht zu sein. Wenn wir morgen einen Stock mitnehmen, können wir es damit ausloten. Ich bin fast sicher, dass wir ganz einfach hindurchwaten können.«

»Warum denn das?«, wunderte sich Suzanne.

»Weil es anders nicht weiterzugehen scheint.« Philippe ließ den Strahl der Taschenlampe langsam am Ufer des stillen Gewässers entlanggleiten. »Weder links noch rechts führt irgendein Weg am Wasser entlang. Die Wände fallen hier ziemlich steil ab. Wir müssen schon sehen, wie wir ans gegenüberliegende Ufer kommen.«

Er leuchtete über die dunkle Wasserfläche. »Könnt ihr was erkennen von dem helleren Ufersaum da drüben? Das sind doch höchstens vierzig, fünfzig Meter.«

»Dann versuchen wir's doch gleich.« Regis hockte schon auf dem Boden und nestelte an seinen Schnürsenkeln.

»Nein, heute nicht mehr.« Philippe beleuchtete das Zifferblatt seiner Uhr. »Schon wieder so spät! Kommt, wir müssen uns ranhalten, sonst kommen uns noch die Fledermäuse in die Quere!«

Diesmal dauerte der Rückweg zum Höhleneingang verständlicherweise länger als am Tag zuvor. Nicht nur, weil jetzt ja ein viel weiterer Weg zurückgelegt werden musste, sondern eigentlich noch mehr deshalb, weil sie sich nur schwer von »ihrem« Bildersaal trennen konnten.

Auf dem Nachhauseweg wurden eifrig Pläne geschmiedet, wie sie wohl ihre große Entdeckung bekannt geben sollten. Natürlich noch nicht sofort! Vorerst sollte sie immer noch ihr alleiniges Geheimnis bleiben, denn wer weiß, was es da tief unter der Erde noch alles zu erkunden gab. Bei dem Gedanken, dass ausgerechnet sie es waren, die nach so langer Zeit als Erste jene heilige Stätte der Eiszeitjäger betreten durften und eine Steinlampe nebst Werkzeugen in ihren Händen hielten, die ein Cromagnon-Mensch vor nahezu zwanzigtausend Jahren zum letzten Mal berührt hatte, wurde ihnen wieder ganz feierlich zu Mute.

Nur Regis hatte sich nicht an dem begeisterten Gespräch beteiligt und war auffällig still. Den ganzen Ziegenpfad entlang sagte er kein Wort und schaute nur nachdenklich und, wie es schien, auch etwas bedrückt vor sich hin. Als sie an die Brücke über den Fluss kamen, blieb er plötzlich stehen.

»Leute, glaubt ihr, dass das eigentlich so ganz in Ordnung ist, was wir da machen?«

Die anderen, so unerwartet aus ihren glücklichen Träumen gerissen, blieben ebenfalls wie angewurzelt stehen.

»Wieso, wie meinst du das?« Philippe sah ihn völlig verdutzt an.

»Na ja, wenn ich mir das so überlege, das mit

dem Wasser, wo wir morgen durchmüssen, und überhaupt – habt ihr noch gar nicht daran gedacht, was eigentlich alles passieren könnte in so einer unbekannten Höhle? Ich hab mal in der Zeitung von Höhlenforschern in den Pyrenäen gelesen …«

»Mensch«, unterbrach ihn Philippe, während die beiden Mädchen mit großen Augen von einem zum anderen blickten, »nun mach aber mal 'nen Punkt! Was ist denn auf einmal los mit dir? Eben hast du noch als Erster über den See gewollt und jetzt spielst du den Besorgten. Kannst du mir das vielleicht mal erklären?«

»Es ist mir halt gerade jetzt erst eingefallen, das mit den Höhlenforschern. Die sind von einem Gewitter überrascht worden, als sie gerade einen unterirdischen Fluss überquert hatten. Da ist das Wasser so plötzlich angestiegen, dass sie nicht mehr zurückkonnten. Und außerdem, was Isabelle vorhin vom ›Fluch der Pharaonen‹ gesagt hat … Vielleicht gibt's so was wirklich!«

Philippe war sprachlos.

»Also jetzt hör mir mal gut zu, mein Lieber! Das mit dem ›Fluch der Pharaonen‹ ist nichts als ein dummer Aberglaube. Die Forscher hatten sich nämlich mit irgendwelchen Krankheitskeimen, die in heißen Ländern im Fledermauskot vorkommen, angesteckt. Das ist zwar schlimm und war für manche auch tödlich, aber mit irgendeinem Fluch oder Zauber hat das alles überhaupt nichts zu tun! Und was das Gewitter anbetrifft: Auch wenn unser stilles Höhlengewässer nach starkem Regen ein richtiger Fluss werden kann, was ich übrigens selbst glaube – es ist viel zu flach und hat viel zu viel Platz dort unten um so rasch zu steigen, dass es uns den Rückweg abschneiden könnte! Wenn's dich im Übrigen beruhigt, hören wir uns eben für alle Fälle den Wetterbericht an, ob Gewitter zu erwarten sind!«

»Trotzdem, ich weiß nicht so recht.«

»Ja, um Himmels willen, sollen wir vielleicht alles aufgeben, gerade jetzt?« Philippes Stimme klang nun schon reichlich aufgeregt und zornig.

»Nein, nein, natürlich nicht! Aber meint ihr nicht auch, es wäre besser, wenn wenigstens ein Erwachsener wüsste, was wir da machen – damit, wenn doch was passiert, jemand da ist, der helfen kann?«

»Jetzt sag nur noch, du willst alles schön brav der Polizei melden, damit Monsieur Oscar als Erstes zu deinem Vater läuft und ihm haarklein alles berichtet!«

»Der doch nicht! Ich habe nur gemeint, Monsieur Lafontaine wäre bestimmt froh, wenn er mit dabei sein könnte, wo er doch so gut Bescheid weiß über alles, was mit der Eiszeit und Höhlen und so zu tun hat.«

»Wer ist denn Monsieur Lafontaine?«, unterbrach Isabelle die immer hitziger werdende Diskussion der beiden Jungen.

»Regis' Lehrer, der, der selbst Eiszeit-Hobbyforscher ist und immer noch hofft einmal eine unbekannte Höhle zu entdecken«, erklärte Suzanne.

»Ein Pauker!«, höhnte Philippe, »ausgerechnet ein Pauker mit dabei, und das soll dann noch ein Abenteuer sein? Glaubst du vielleicht, der geht da schön brav mit und sagt niemand ein Sterbenswörtchen? Bist du denn total übergeschnappt?«

»Monsieur Lafontaine ist kein ›Pauker‹, der nicht!«, protestierte Regis energisch. »Mit dem kannst du Pferde stehlen!«

»Und wenn auch, ich will nicht, dass uns jetzt noch irgendein Erwachsener alles verdirbt! Wir haben die Höhle entdeckt, wir ganz allein, und ich will nicht, dass ein Erwachsener in letzter Minute dann noch die Hauptrolle spielt! Schluss jetzt, geschworen ist geschworen, es bleibt alles beim Alten!«

Was half's? Regis wusste, wenn Philippe so energisch redete, hatte es überhaupt keinen Zweck ihm zu widersprechen, man richtete doch nichts damit aus. Also schwieg er still und versuchte sich selbst vorzumachen, da bis jetzt ja alles gut gegangen sei, müsste ihr unterirdisches Abenteuer auch glücklich enden.

Bald war der kleine Streit vergessen. Warum sollten sie sich diesen erfolgreichen Tag auch selbst verderben?

»Meinst du, dass vielleicht sogar die Zeitung darüber berichtet, wenn wir am Ende unsere Entdeckung melden?«, fragte Isabelle, als die beiden Mädchen schon in ihren Betten lagen.

»Klar, von so was leben doch die Zeitungsreporter. Was glaubst du, wie wild die auf solche Geschichten sind! Und Fotos von uns werden bestimmt auch gemacht und gedruckt. Vielleicht, wie wir uns gerade mit den Taschenlampen und Kerzen zwischen Stalaktiten durchzwängen, oder auch mit Jaquin vor dem Höhleneingang. Wart nur ab, wir werden noch berühmt! Wenn unsere Höhle später erst mal für Besucher, Touristen und so zugänglich gemacht ist mit Treppen und elektrischem Licht, stehen wir als die Entdecker alle mit Namen im Fremdenführer. Dann wird unsere Geschichte jedem Feriengast erzählt!«

Isabelle wurde ganz wohlig zu Mute und über all diesen verlockenden Aussichten fielen ihr die müden Augen endlich zu. Draußen stieg der Mond am tiefblauen Nachthimmel empor. Die schlanken Pappeln am Fluss rauschten leise im Wind und warfen lange Schatten auf das taufeuchte Gras. Der Fluss glitzerte in dem silbrigen Licht wie geschmolzenes Metall und auf den Hügeln über dem jenseitigen Ufer zirpten noch immer die unermüdlichen Zikaden. Tief unter den hell aus immergrünem Gesträuch leuchtenden Kalkfelsen ruhte die Höhlenwelt voller unerforschter Geheimnisse. Morgen, ja morgen würden gewiss noch mehr von ihnen offenbar!

Das darf doch nicht wahr sein ...

Die Idee mit dem Picknick stammte von Suzanne. Sie war ihr gestern Abend auf dem Nachhauseweg gekommen, kurz nach dem Streit der beiden Jungen. Mitten auf der steinernen Brücke war sie plötzlich stehen geblieben.

»Kinder, ich hab's!«, rief sie und stampfte bekräftigend mit dem Fuß auf, dass das alte Gewölbe dröhnte.

»Was hast du? Erschrick einen doch nicht immer so!« Philippe war immer noch ein wenig unwirsch, wer wollte es ihm auch verdenken!

»Wir bereiten einfach einen Tagesausflug mit Picknick vor, dann haben wir nicht nur ein Alibi für einen ganzen, langen ungestörten Tag Höhlenforschung, sondern gleichzeitig auch den Proviant sichergestellt. Na, wie findet ihr das? Philippe, du hast doch morgen deinen ›kurzen Tag‹ oder hab ich mich vielleicht verzählt?«

Ja, Philippes »kurzer Tag« oder genauer: sein Tag mit der kürzesten Arbeitszeit, wenn sein Vater in die Stadt musste und den größten Teil der Brote unterwegs selbst ablieferte, das war wirklich die einmalige Gelegenheit! Suzannes Mutter war mit dem Plan einverstanden gewesen, warum auch nicht? »Aber wenn ihr abends nach Hause kommt, kann ich mich nicht mehr lange um euch kümmern«, meinte sie bedauernd. »Wir sind nämlich zum Essen eingeladen, Papa und ich.«

Oha, dachte Suzanne und blinzelte Regis verstohlen zu, etwas Besseres hätte euch gar nicht einfallen können!

Und nun waren sie also unterwegs, mit einem Rucksack voller viel versprechender Wölbungen. Sogar für Jaquin war etwas drin. Der sollte übrigens heute endlich zum ersten Mal an ihrem unterirdischen Abenteuer teilnehmen dürfen.

»Hier hinein, in so ein kratziges, dichtes Gestrüpp verirrt sich ja doch kein Mensch«, musste

Philippe schließlich zugeben. Nicht einmal in der weiteren Umgebung war all die Tage irgendjemand zu sehen gewesen, der die jungen Forscher möglicherweise hätte stören können. Die Kinder aus dem Dorf gingen bei diesem schönen und heißen Wetter weit lieber im Fluss schwimmen als hier hinauf in die staubtrockene Geröllhalde. Was sollten sie denn auch hier oben? Warum also immer noch einen Wächter vor den Höhleneingang setzen? Es verstand sich fast von selbst, dass es Isabelle war, die ihren vierbeinigen Freund an die Leine nahm. Die immerhin recht steile erste Abstiegsstrecke unmittelbar hinter der Höhlenöffnung war für den Hund das bei weitem schwierigste Stück Weg. Er rutschte mehr als er kletterte, von Isabelle und Suzanne gestützt, so gut es eben ging. Aber anscheinend machte ihm die Sache gerade deshalb mehr Spaß als sie ihm Angst einflößte. Unten war er dann kaum zu halten und wollte hinter jedem Tropfstein schnuppern.

»Lass ihn nur ja nicht frei laufen«, ermahnte Philippe Isabelle, »sonst haut er ab und geht selbstständig auf Entdeckungen aus und wir können am Ende nur noch nach Jaquin suchen!«

In der engen Felsspalte vor der großen Tropfsteinhöhle hatte Isabelle vorankriechen müssen. Dann lockte sie Jaquin hinter sich her und zog kräftig an seiner Leine, während Suzanne von hinten nachschob. Da er bei diesem umständlichen Experiment weder nach der einen noch nach der anderen Seite ausweichen konnte, blieb dem guten Jaquin gar keine andere Wahl, er musste eben hindurch!

Endlich standen sie wieder an dem tags zuvor entdeckten unterirdischen Gewässer. Der klickende Tropfen fiel noch immer in unverändert gleichem Rhythmus.

»Wahrscheinlich fällt der schon seit vielen tausend Jahren immer im gleichen Abstand, so regelmäßig wie ein Uhrpendel hin- und herschwingt«, vermutete Philippe und maß an verschiedenen Stellen, die vom schmalen Ufersaum aus leicht zu erreichen waren, die Wassertiefe mit einem Stock, den er sich unterwegs auf der Halde zurechtgeschnitten hatte. »Soweit ich von hier aus feststellen kann, kaum tiefer als höchstens ein halber Meter«, meinte er mit Befriedigung. »Zieht eure Schuhe und Strümpfe aus und krempelt die Hosen hoch, bis über die Knie. Die Schuhe könnt ihr an den Schnürsenkeln zusammenbinden und euch um den Hals hängen, dann bleiben die Hände für Kerzen und Taschenlampen frei. Dass mir aber keiner einfach so auf eigene Faust drauflosstapft! Wir gehen genau in einer Reihe hintereinander – ich mit dem Messstock an der Spitze und ihr erst hinter mir her, wenn ich festen Boden unter meinen Füßen spüre.«

Behutsam stieg Philippe als Erster ins Wasser.

»Puh, ist das kalt! Hoffentlich wird's nicht doch noch tiefer.« Aber seine Befürchtungen erwiesen sich als unbegründet. Allem Anschein nach füllte das Wasser nur eine leichte Bodendelle aus und nicht ein tief eingeschnittenes unterirdisches Flussbett mit heimtückischen Strudellöchern, in die sie unvermutet hätten hineinrutschen können. In der rechten Hand hielt Philippe seinen Stock, mit dem

er vor jedem nächsten Schritt den unsichtbaren Boden unter der Wasserfläche sorgsam abtastete, in seiner linken die Taschenlampe. Unmittelbar hinter ihm folgte Suzanne mit dem prallen Rucksack auf ihrem Rücken. Jaquin war durch kein gutes Zureden und kein Versprechen zu bewegen gewesen in das dunkle, eiskalte Wasser zu steigen. Sogar bei der spärlichen Helligkeit, die ihre Kerze verbreitete, konnte Isabelle erkennen, wie sich seine Nackenhaare vor Angst sträubten.

»Es hat keinen Zweck«, meinte Regis, der als Letzter ins Wasser gehen sollte. »Da, nimm du die Taschenlampe bitte auch noch.« Er reichte sie Isabelle, bückte sich, packte den leise winselnden Hund an Vorder- und Hinterbeinen, schob den Kopf unter seinen Bauch und hievte ihn sich fachgerecht auf die Schultern.

»So, jetzt gib aber endlich Ruhe, Jaquin«, redete er ihm beschwichtigend zu. »Du hast überhaupt keinen Grund hier Theater zu machen, wo du der Einzige von uns bist, der nicht ins kalte Wasser hineinmuss.«

Man hätte wieder glauben können, Jaquin verstünde jedes Wort! Jedenfalls blieb er auf einmal ganz ruhig und behinderte Regis nicht, als der jetzt vorsichtig balancierend ins Wasser stieg. Regis blieb jetzt wahrhaftig keine Zeit mehr für Gewissensbisse, wie sie ihn gestern geplagt hatten! Und doch, was wäre ihnen alles erspart geblieben, hätten sie Monsieur Lafontaine dabeigehabt!

Philippe saß unterdessen schon am anderen Ufer, hatte die eingeschaltete Taschenlampe neben sich gelegt und zog bereits wieder seine Schuhe an.

»Alles okay? Dann wollen wir mal!« Er stand auf und leuchtete die Umgebung ab. Irgendwo musste es ja wohl weitergehen. Oder sollte ihre Höhle doch nur diesen Zugang gehabt haben? So wie der jetzt beschaffen war, konnte er den Cro-magnon-Menschen während der Eiszeit nicht viel genutzt haben. Ohne Seil – und etwas Derartiges kannten sie ja wohl doch noch nicht – wäre der Einstieg und erst recht der Ausstieg viel zu beschwerlich und auch gefahrvoll gewesen.

Als der Lichtstrahl seiner Taschenlampe vor seinen Füßen über den Boden huschte, riss Philippe plötzlich entsetzt die Augen auf. Nur mit Mühe konnte er einen Aufschrei unterdrücken. War so etwas denn wirklich möglich?

»Regis«, es gelang ihm nicht das Beben in seiner Stimme zu verbergen, »Regis, sieh dir das hier mal an, mach schnell!«

Regis schnürte gerade seinen zweiten Schuh wieder zu, sprang jedoch sofort auf und eilte zu Philippe hinüber, dessen Aufregung sich in dieser einsamen, unheimlichen Unterwelt unmittelbar auf alle zu übertragen schien.

»Da«, wies Philippe mit dem Zeigefinger auf den Boden, »wofür hältst du das da?«

Es waren ein paar verschieden große, leichte Vertiefungen von eigentümlichem Umriss.

»Mensch!« Regis ging in die Hocke und betastete den Rand einer dieser Vertiefungen ganz sachte mit dem Finger. »Isabelle, Suzanne, schnell, so macht doch! Das ist das Tollste von allem, was wir bisher entdeckt haben! So was ist, glaube ich, überhaupt nur einmal in der Höhle von Pech Merle gefunden worden. Wenigstens hat Monsieur Lafontaine, wenn ich mich nicht irre, das mal behauptet.«

Die beiden Mädchen, jede eine Kerze in der einen Hand, blickten ihm erwartungsvoll über die Schultern. »Nun sag schon, was das sein soll. Los, hör auf uns so auf die Folter zu spannen, tu doch nicht so wichtig!« Suzanne stubste ihn in die Seite.

»Versucht doch erst mal selbst das herauszufinden«, konterte Regis. Isabelle hielt ihre Kerze ganz nahe an die seltsamen Eindrücke. Ein eisiger Schreck durchfuhr sie. Nein! Das durfte nicht wahr sein, das nicht! Dann wäre ihre ganze Freude vergeblich gewesen, all ihre Anstrengungen. Und mit den hochtrabenden Erwartungen, dem Entdeckerruhm wäre es auch ein für alle Mal aus und vorbei!

Aber es war kein Zweifel möglich: Hier handelte es sich einwandfrei um Fußstapfen von Menschen! »Fußabdrücke«, sagte sie tonlos. »Fußspuren von Menschen, die vor uns durch das Wasser gewatet sein müssen.« Sie spürte, wie ihr Mund ganz trocken wurde. Irgendein hinderlicher Kloß schien sie im Hals zu würgen. »Wir sind also gar nicht die Entdecker der Höhle! Irgendwelche anderen sind uns zuvorgekommen.«

Nicht einmal bei Kerzenschein war zu übersehen, dass ihr Gesicht ganz fahl geworden war. Suzanne blickte ihre Cousine entgeistert an und spürte, wie ihr die Tränen kommen wollten. Wie sollten sie so eine Enttäuschung jemals überwinden können?

Regis sprang so abrupt in die Höhe, dass er Isabelle beinahe die Kerze aus der Hand geschlagen hätte.

»Ja!«, schrie er, »ja, Fußabdrücke sind es auch, Spuren von Menschen, die schon vor uns die Höhle entdeckt haben müssen, aber das ist schon mehr als zwanzigtausend Jahre her!« Fassungslos blickten ihn die drei anderen an. »Versteht ihr denn nicht? Das sind Fußabdrücke von Cromagnon-Menschen!«

Jetzt war es auf einmal totenstill, wenn man von dem nach wie vor regelmäßigen »Klock-klack-klick« des ewig fallenden Tropfens einmal absah.

»Donnerwetter!« Suzannes Stimme klang seltsam gepresst. »Ist das wirklich wahr, Regis, bist du ganz sicher?« Tief aufatmend starrte sie auf die Eindrücke im Boden und jetzt erkannte sie es auch: die fünf Zehen, besonders deutlich und tief eingepresst der große Zeh und die Ferse. Mehrere Abdrücke hintereinander waren es, daneben, ebenfalls in einer Reihe, die kaum minder deutlichen Eindrücke viel kleinerer Füße. Es war gar keine andere Erklärung möglich. Hier war vor unvorstellbaren Zeiten ein erwachsener Mensch gegangen und neben ihm ein Kind. Nach der Größe seiner Fußspuren dürfte es etwa fünf bis sieben Jahre alt gewesen sein. Mittlerweile hatte sich auch Isabelle wieder von ihrem

Schrecken erholt. »Aber was ist das da?« Sie zeigte auf kegelförmige Vertiefungen, die in ganz regelmäßigen Abständen die Fußstapfen begleiteten, immer etwa siebzig Zentimenter auseinander. Regis rieb sich die Stirn. Von so etwas hatte Monsieur Lafontaine nie etwas erzählt. »Keine Ahnung.« Er zuckte mit den Schultern und beugte sich wieder hinab um einen der unerklärlichen kleinen Trichter im Gestein des Bodens genauer untersuchen zu können. »Sieht so aus, als hätte irgendwer irgendetwas da hineingestochen!«

»Hurra, ich hab's!« Philippe fuhr herum und schaute die Mädchen triumphierend an. »Komisch, dass keiner von uns früher darauf gekommen ist!«

Isabelle schob missmutig ihre Unterlippe vor und hielt ihre Kerze so dicht wie möglich an die rätselhafte Spur. »Worauf gekommen? Du gefällst dir wohl im Rätselraten? Los, rück raus mit deiner ganz großen Erleuchtung!«

Philippe richtete sich stolz auf. »Die Frau oder der Mann, der hier unten mit einem Kind an der Hand herumgestapft ist, hat sich dabei auf einen Stock gestützt!«

Suzanne nickte anerkennend. »Klingt ganz wahrscheinlich, Philippe. Aber was ich nicht kapiere, wie können nackte Füße von Menschen so tiefe Spuren in hartem Steinboden hinterlassen? Das waren doch keine Riesen, die gleich ein paar Tonnen wogen, sondern Menschen wie wir heute auch!«

»Ganz einfach«, meldete sich nun Regis wieder zu Wort. »Das hier war nämlich damals noch gar kein harter Stein, sondern nur so eine Art feuchter, glitschiger Lehm. Deshalb hat ja wohl auch der alte Cromagnon-Mensch, von dem die Spuren stammen, einen Stock mitgenommen und sich draufgestützt, einfach um nicht auszurutschen auf so einem gefährlichen Boden. In den vielen tausend Jahren seitdem ist der Lehm dann hart geworden wie Stein. Wir müssen aber trotzdem Acht geben und dürfen nicht drauftreten, damit die Ränder nicht abbrechen. Vielleicht finden die Wissenschaftler, die später alles einmal genauer untersuchen, was wir hier unten entdeckt haben, sogar noch die Abdrücke von Hautleisten.«

»Was, du meinst, so wie Detektive an Fingerabdrücken genau die Form von Hautleisten an den Fingerspitzen feststellen und danach einen Menschen ›identifizieren‹, wie sie das nennen?«, wunderte sich Suzanne. »Mit einer Lupe oder sogar einem noch stärker vergrößernden Mikroskop – und das nach so langer Zeit?«

Der Gedanke, dass Menschen bereits so lange tot sind, dass auch nicht mehr ein Knochen von ihnen aufzufinden ist, ihre unverwechselbaren Hautleistenmuster aber noch derart frisch erhalten sein sollten wie an dem fernen Tag, als sie hier durch den damals noch weichen Höhlenlehm liefen, stimmte die vier doch recht nachdenklich, während sie immer noch die längst versteinerten Fußstapfen anstarrten.

Schließlich unterbrach Philippe die Stille. »Kinder, vor lauter Überraschung haben wir an das Wichtigste überhaupt noch nicht gedacht!«

Suzanne blickte erstaunt zu ihm auf. »Wieso, was ist denn so schrecklich wichtig?«

»Dass uns diese Fußspuren verraten, hier geht es irgendwo weiter. Die Höhle hat ganz bestimmt noch einen anderen Ausgang. Das heißt mindestens einen, wenn nicht sogar mehrere.«

Ja, aber wie sollten sie den finden? Den Fußspuren konnten sie nicht folgen. Natürlich wären sie die sichersten und zweifellos auch direktesten Wegweiser, wenn sie nur nicht, wie gar nicht anders zu erwarten, just dort geendet hätten, wo der ursprüngliche, gewachsene Felsboden wieder begann. Aber immerhin gaben sie die Richtung an, in der es weiterzusuchen galt.

Die vier schienen unabhängig voneinander auf den gleichen Gedanken gekommen zu sein, als sie wie auf eine geheime Verabredung plötzlich alle suchend dorthin blickten, wohin der Cromagnon-Mensch mit seinem Kind anscheinend gegangen war. Und tatsächlich erschien im Lichtstrahl von Regis' Taschenlampe, die er inzwischen wieder an sich genommen hatte, eine dunkle Öffnung zwischen den hell aufleuchtenden Kalkfelsen.

»Da, seht ihr's?«, rief Regis und sprang auf, »da drüben geht's weiter. Die Höhlenmenschen selbst haben uns den Weg gezeigt. Das können wir später sogar allen Ernstes behaupten. Ist das nicht ein tolles Rätsel: Wie konnte uns ein Cromagnon-Mensch in der Höhle den Ausgang zeigen, obwohl er doch schon so lange tot ist?«

Die anderen nickten zustimmend: »Wenn wir ihn nur schon gefunden hätten, den zweiten Ausgang oder, wohl richtiger gesagt, den eigentlichen Höhleneingang.« Philippes Einwand dämpfte ihre Hochstimmung wieder ein wenig. »Wer weiß, wie weit die Kletterei und Kriecherei noch geht? Außerdem ist dieser Haupteingang mit Sicherheit auch verschüttet, denn sonst wäre ja unsere Höhle schon längst bekannt!«

»Aber wir müssen auf jeden Fall bis zum anderen Ende der Höhle«, gab Suzanne zu bedenken. »Das wäre eine schöne Blamage, wenn wir unsere große Entdeckung meldeten, und dann kämen die Wissenschaftler und würden noch Gott weiß was alles im hinteren Teil finden. Das heißt, wenn du Recht hast, müsste es ja eigentlich der vordere Teil der Höhle sein!«

»Klar, du glaubst doch nicht, dass wir vor dem Ziel aufgeben? Wäre ja noch schöner!« Philippe deutete auf den Rucksack, den Suzanne immer noch nicht abgenommen hatte. »Sagt nur, das kalte Wasser hätte euch keinen Hunger gemacht! Ich schlage vor, dass wir jetzt erst mal tüchtig essen, bevor die Suche weitergeht.« Er grinste, als er den Rucksack aufschnürte: »Suzanne hat es dann nachher auch ein bisschen leichter.«

»Kommt überhaupt nicht in Frage, jetzt ist erst mal Regis an der Reihe.«

»Schon gut, dann ist ja auch sowieso nicht mehr viel drin! Am besten wird's sein, wir teilen die Reste so auf, dass jeder etwas davon in die Taschen steckt, dann gibt's wegen des Rucksacks keinen Streit mehr!«

Und so hielten die vier die wohl sonderbarste Mahlzeit ihres Lebens. Was für ein Gedanke so tief unter der Erdoberfläche, weit im Inneren einer bis dahin noch gänzlich unbekannten, großen Höhle im Kreis um die Fußspuren von Menschen auf dem

Boden zu kauern und zu vespern, die bereits vor Jahrtausenden als Letzte vor ihnen diese geheimnisvolle Welt durchstreift hatten. Doch ihrem gesunden Appetit tat dieses erhebende Gefühl keinerlei Abbruch. Sie langten alle tüchtig zu und nicht einmal Jaquin ließ sich durch die ungewohnte Umgebung, das zuckende Kerzenlicht und die Stille auch nur im Geringsten dabei stören seinen Extraanteil genüsslich zu verschlingen. Dann aber, als die Reste gerecht verteilt waren, schnallte sich Regis den nun leeren Rucksack auf den Rücken und stand als Erster auf. »Los, es wird Zeit.« Er warf einen Blick auf seine Armbanduhr. »Wir müssen langsam weiter, es kann ja wohl nicht mehr so sehr weit sein bis zum Ende unserer Höhle.«

»Woher willst du denn das nun wieder so genau wissen?« Isabelle schaute ihn herausfordernd an.

»Auch aus den Fußspuren natürlich«, meinte Regis. »Weil sich nämlich die Cromagnon-Menschen ganz bestimmt nicht kilometerweit unter die Erde vorgewagt haben. Stellt euch doch nur einmal vor: mit so kümmerlichen Lampen, wie wir gestern eine gefunden haben. Und dann war es ja auch in der Eiszeit schon über der Erde kalt genug, ganz besonders, wenn man auch noch barfuß herumlaufen musste.« Das war allerdings einleuchtend. »Also dann: Die Richtung ist ja klar!«

Aber leider sollte sich schon nach einer kurzen, wenn auch etwas anstrengenden Kletterei über größere und kleinere Hindernisse in Gestalt herabgebrochener Felsbrocken und zwischen den Durchgang stellenweise doch stark einengenden Stalaktiten hindurch herausstellen, dass ihre frohe Erwartung ganz und gar nicht zutraf. Unverhofft standen die vier Höhlenforscher mit ihrem Hund vor einer Situation, mit der sie in gar keiner Weise gerechnet hatten. Sie waren an einer Gabelung des Ganges angelangt. Ja, verwirrender noch, es waren nicht nur zwei, sondern gleich drei Wege oder Höhlenöffnungen, die von einer kleinen, kammerartigen Erweiterung des Hauptganges nach verschiedenen Richtungen weiterzuführen schienen.

Philippe kratzte sich ratlos hinterm Ohr. Jetzt war tatsächlich guter Rat teuer. Selbst Regis war trotz der vielen Bücher, die er schon über eiszeitliche Höhlen gelesen hatte, und trotz aller Erzählungen seines Lehrers verwirrt und unsicher. Wie sollte man sich nun entscheiden? Vergeblich suchte er mit seiner Taschenlampe in jedem der drei Gänge ein Stück weit den Boden ab nach irgendwelchen Spuren, die darauf hingedeutet hätten, dass die Cromagnon-Menschen diesen Gang benutzt hatten. Aber dieser Boden bestand ja aus festem Kalkfels, in dem nicht einmal genagelte Stiefel Eindrücke hinterlassen würden, geschweige denn bloße Menschenfüße!

»Ja, da bleibt nur eines, damit wir nicht allzu viel Zeit verlieren«, schlug Philippe vor. »Wir müssen uns in Gruppen aufteilen. Lampen haben wir ja glücklicherweise genug mit.« Er griff in seine Hosentasche und zerrte eine flache Taschenlampe heraus. »Die gehört eigentlich meinem Vater, aber ich hab sie mir für heute einmal ›ausgeliehen‹. Also, wer geht mit wem zusammen?«

»Wenn du mir deine Taschenlampe gibst, geh ich mit Jaquin«, schlug Isabelle vor. »Sonst würden nämlich in dem einen Gang – Jaquin mitgezählt – drei, und in jedem anderen immer nur einer von uns allein suchen.«

Das leuchtete ein. »Gut«, bestimmte Philippe. »Dann gehe ich eben allein. Ich bin ja auch der Älteste von uns. Regis, du und Suzanne, ihr übernehmt gemeinsam den dritten Gang daneben. Wer am Ende angelangt ist, kehrt sofort um und wartet hier an dieser Stelle auf die anderen. Klar?«

»Aber wenn er nun nicht an ein Ende kommt?« Suzanne sah Philippe fragend an. »Ich meine, wenn seine Höhle nun immer so weitergeht, was soll er denn dann machen? Wir müssen ja schließlich auch wieder mal nach Hause zurück.«

»Natürlich.« Philippe beleuchtete sein Uhr.

»Jetzt haben wir gerade zwei Uhr nachmittags, vergleicht mal!« Die anderen drängten sich um ihn und stellten ihre Uhren. »Also, egal wer was findet, spätestens um fünf sollten wir alle wieder hier sein. Denkt daran, dass ihr genauso lange für den Rückweg braucht wie für den Hinweg und kehrt nicht zu spät um! Hat jemand noch irgendeine Frage?« Sie schüttelten die Köpfe.

»Steckt vorsichtshalber jeder noch eine Kerze ein. Habt ihr auch alle Streichhölzer dabei, für den Fall, dass eine Taschenlampe mal hinfallen oder sonst irgendwie versagen sollte? Übrigens reichen ja die Batterien auch nicht ewig. Dann also: ›Glück auf!‹ Isabelle und Jaquin nehmen den Gang links, ich gehe in den mittleren und Suzanne und Regis übernehmen den rechten, wie ausgemacht. Zwängt euch bitte nicht mit Gewalt durch zu enge Spalten, in denen man stecken bleiben kann. Auf gar keinen Fall darf mir einer irgendein unterirdisches Wasser durchwaten wollen! So was ist allein viel zu gefährlich, das können wir, wenn nötig, nur zusammen versuchen.«

Philippe verschwand im mittleren Gang. Eine Weile sah man noch den hin und her schwankenden, schwächer und schwächer werdenden Lichtschein seiner Lampe über die Felswände huschen, dann aber verklangen allmählich seine Schritte.

»Bis dann also!«, nickte Suzanne Isabelle zu und stapfte hinter ihrem Bruder in den rechten Gang hinein.

»So, dann wollen wir beide auch mal losziehen, Jaquin.« Isabelle fasste die Leine des Hundes so kurz wie möglich und leuchtete mit ihrer Taschenlampe in die gähnende Felsenöffnung, die Philippe ihr zugewiesen hatte. Sie musste sich ein wenig bücken, weil der Eingang dieses äußersten Ganges, ganz am linken Ende der Felsenkammer, ziemlich niedrig war. Aber bald ging es schon besser voran, so dass Jaquin seine Begleiterin ungestüm hinter sich herzerrte, als könne er es gar nicht erwarten, irgendetwas furchtbar Aufregendes zu entdecken.

Isabelle ist verschwunden!

Als Philippe mit nur wenigen Minuten Verspätung wieder am vereinbarten Treffpunkt ankam, saßen Suzanne und Regis im Schein einer schon stark heruntergebrannten Kerze auf dem glatten Felsbrocken inmitten der kleinen Kammer und warfen gelangweilt Steinchen gegen die Wand. »Sitzt ihr schon lange da?«, fragte Philippe verwundert.

»Unser Gang war eine ziemliche Enttäuschung«, schmollte Suzanne. »Kaum hatten wir uns durch so ein paar Spalten und zwischen engen Stalaktiten hindurchgearbeitet, so eine halbe Stunde ungefähr, da war auf einmal alles zu Ende. Wie abgeschnitten! Nein, um diesen Gang brauchen wir uns weiter nicht zu kümmern. Auf dem Rückweg haben wir noch einmal alle Winkel und Ecken genau ausgeleuchtet, Zeit haben wir ja genug dazu gehabt, aber nirgendwo konnten wir etwas finden, was wie eine

Spur von Eiszeitmenschen aussah. Ich bin ziemlich sicher, dass der Gang damals schon keinen anderen Ausgang gehabt hat und deshalb auch nie von den Cromagnon-Menschen benutzt worden ist!«

»Bei mir war's auch nicht anders«, gestand Philippe etwas mutlos. »Nur war mein Gang doch anscheinend ein gutes Stück länger, überall Geröll, manchmal auch eine schwierige Stelle, wo ich nur gerade noch auf dem Bauch rutschend hindurchkam. Kinder, hatte ich eine Angst, ich könnte mich am Ende nicht mehr herumdrehen und müsste dann auch noch rückwärts wieder zurückkriechen! Aber ganz hinten hat sich der Gang dann doch wieder verbreitert, zu einer richtigen kleinen Felsenkammer, nicht ganz so groß und so hoch wie die hier, aber da war nirgendwo mehr ein Ausgang. Da bin ich halt wieder zurückgerobbt. Sagt mal, wo sind denn Isabelle und Jaquin?« Suchend blickte er zu der linken Felsenöffnung hinüber. »Es ist doch jetzt schon fast zwanzig Minuten über der verabredeten Zeit.«

»Keine Ahnung.« Suzanne zuckte mit den Schultern. »Wahrscheinlich hat sie mehr Erfolg gehabt als wir anderen, denn sonst müsste sie ja auch schon längst wieder hier sein.«

Philippe kroch ein paar mühsame Schritte in Isabelles Gang hinein. »Seid mal bitte jetzt für einen Moment ganz still, vielleicht kann ich irgendwas hören.«

Er lauschte angestrengt. Die Stille hatte etwas Bedrückendes. Philippe hatte erwartet wenigstens so etwas wie das ferne Geräusch eines rollenden Steines unter Isabelles Füßen zu hören, aber es blieb alles totenstill. Er formte aus seinen Händen einen Schalltrichter und stieß ein lang gezogenes »Halloooo …« aus, das schauerlich widerhallte und nach mehrfachem Echo endlich in der unbekannten Tiefe des Ganges verklang.

Philippe kam enttäuscht zu den anderen zurück. »Ich geh Isabelle ein Stück entgegen. Ihr rührt euch bitte nicht von der Stelle, bis ich wieder zurück bin, ganz egal, wie lange das dauert, oder bis ihr mich rufen hört, ja?«

Suzanne nickte stillschweigend und sah ihrem Vetter nach, der wieder tief gebückt in dem gähnenden Höhleneingang verschwand. War das Angst um Isabelle, dieses eigenartige Gefühl, als ob ihr irgendetwas die Kehle zuschnürte? Ach was, tröstete sie sich selbst. Vermutlich wird sie etwas Interessantes entdeckt und sich dabei länger aufgehalten haben ohne in ihrer Begeisterung einmal auf die Uhr zu schauen. Philippe würde die beiden schon bald zurückbringen und dann nichts wie hinauf ans Tageslicht!

Doch die Zeit verrann und stellte ihre Geduld auf eine harte Probe. Die erste Kerze brannte mehr und mehr herunter und fing an mit flackernder Flamme rußend zu tropfen. Unbarmherzig rückte der Uhrzeiger voran. Längst schon war die ursprünglich angesetzte Zeit zum Aufbruch verstrichen und immer noch war kein Ton zu hören von Philippe und den beiden Gesuchten, so angestrengt Suzanne und Regis auch auf ein fernes Freudengebell von Jaquin lauschen mochten.

»Wenn nur nichts passiert ist.« Suzanne konnte dieses schweigende Vor-sich-Hinbrüten und Warten kaum noch ertragen.

»Was soll denn schon groß passiert sein?« Regis rutschte trotz seiner beruhigenden Worte nervös auf der glatten Felsfläche hin und her. »Bisher ist doch alles gut und ohne Gefahr gegangen. Mal doch jetzt nicht den Teufel an die Wand!«

»Aber Isabelle könnte sich doch den Fuß verknackst oder ein Bein gebrochen haben…«

»Oder in eine Schlucht gestürzt und längst tot sein«, versuchte Regis etwas hilflos und recht unpassend zu spötteln. »Du«, zischte Suzanne, »mit so was treibt man keine Scherze, so was darf man noch nicht einmal denken und erst recht nicht aussprechen.« Sie sprang von dem Felsblock herunter.

»Ich halte dieses untätige Herumsitzen einfach nicht länger aus. Komm, wir gehen Philippe wenigstens ein ganz kleines Stück entgegen.«

Regis, der seine unpassende Bemerkung bereits bereute, zumal auch ihm die Angst in der Kehle saß, nahm ohne ein Wort die Taschenlampe und kroch in den jetzt auf einmal so unheimlich drohend anmutenden Gang. Dann blickte er sich hilflos zu Suzanne um. »Wir haben Philippe aber doch fest versprochen uns nicht von der Stelle zu rühren.«

»Doch nur ein paar Meter«, versuchte Suzanne sich zu rechtfertigen, »damit wir einmal rufen und besser auf Antwort lauschen können. Von hier aus hat das ja doch keinen Zweck! Jeder Ruf verhallt nach allen Richtungen.« Dagegen war eigentlich nichts einzuwenden. Gebückt tasteten sie sich ein kurzes Stück in den Gang hinein. Suzanne blieb stehen und rief, so laut sie konnte: »Halloooo – Isabelle, Philippe, hört ihr mich?« Aber wieder folgte dem nachhallenden Echo nur eine lähmende Stille, in der Suzanne ihr vor Angst pochendes Herz zu hören glaubte. »Da, was war das?« Regis Atem ging vor Erregung stoßweise. »Hast du nichts gehört?«

Suzanne reckte ihren Kopf lauschend vor. Ja, tatsächlich, da schienen irgendwo, noch ganz weit weg, ein paar Steine zu kollern. Und dann vernahmen sie ein ganz fernes, aber dennoch deutliches »Hallooo! Hallo!«, das sich wiederum in vielfachem Echo brach.

»Sie sind's, sie kommen, hurra!« Suzanne schrie vor Erleichterung laut auf und drängte derart ungestüm rückwärts aus der Felsenöffnung, dass sie dabei Regis beinah umgestoßen hätte. Für einen Freudentanz wie nach der Entdeckung ihrer Bilderhöhle blieb allerdings keine Zeit mehr, denn immer deutlicher klangen jetzt widerhallende Schritte, stolpernd und unregelmäßig, näher und näher, bis Philippes trotz der Kühle schweißnass glänzendes Gesicht in der dunklen Öffnung auftauchte. Stumm wankte er auf den großen Felsblock zu und ließ sich ächzend darauf fallen. Seine Kleider waren voller Lehm und überall dort, wo sie mit der Höhlenwand in Berührung gekommen waren, weiß von Kalkstaub überpudert.

»Ist sie immer noch nicht hier?«, keuchte er.

Suzanne starrte ihn mit weit aufgerissenen Augen an. »Hier? Wieso hier? Wie kann denn Isabelle hier sein, wenn du doch die ganze Zeit in ihrem Höhleneingang warst?«

»Ich habe immer noch gehofft, dass sie vielleicht einen anderen Gang für den Rückweg gefunden hat, vielleicht eine Einmündung in den mittleren oder den rechten.« Philippes Stimme klang so müde und hoffnungslos! »Da unten zweigen nämlich gleich ein paar Gänge nach verschiedenen Richtungen ab. In jeden bin ich ein Stück weit hineingekrochen und habe geschrien, bis mir der Hals wehtat, aber nirgends habe ich eine Antwort bekommen oder eine Spur von Isabelle und Jaquin entdecken können. Nein«, seine Stimme sank zu einem tonlosen Flüstern herab, »wir können gar nicht mehr daran zweifeln, dass sie sich verirrt hat und nun keinen Rückweg mehr findet.«

Ein Täuschungsmanöver

Der freudigen Hoffnung bei Suzanne und Regis war eine umso tiefere Niedergeschlagenheit gefolgt. Wie sollten sie das alles nur ihren ahnungslosen Eltern beibringen? Die arme Isabelle, ganz allein, verirrt in den verschlungenen Gängen einer noch völlig unbekannten Höhlenwelt, tief unter der Erde, in Kälte, Nässe und – sie wagten gar nicht daran zu denken – in nachtschwarzer Dunkelheit, sobald die Batterie der Taschenlampe aufgebraucht und die Kerze endgültig heruntergebrannt war. Irgendwann musste es ja einmal so weit kommen!

Aber nein, ganz allein und verlassen war Isabelle ja nun doch nicht. Suzanne fiel ein, dass ja Jaquin Isabelle begleitete. Zum ersten Mal verspürte sie ein wenig Erleichterung. Ja, Jaquin musste doch immerhin ein Trost sein in der Einsamkeit und Verlassenheit der großen Höhle, ein lebendes, anhängliches Wesen, und ganz sicher würde ihm auch sein untrüglicher Instinkt einen Ausweg aus dem unterirdischen Labyrinth weisen.

Philippe war da allerdings weniger zuversichtlich. »Ein Hund ist, da er ja von Wölfen abstammt, doch eigentlich ein Steppenjäger. Ich glaube nicht, so schön es auch wäre, dass wir bei ihm irgendwelche Instinkte erwarten dürfen, die ihm helfen sich in einer Höhle zurechtzufinden«, meinte er resignierend.

Den ganzen Rückweg bis zum Eingang der Höhle hatten die drei mehr oder weniger heftig gestritten. Suzanne wollte unbedingt weitersuchen, komme, was da wolle, und sollte es auch bis zum nächsten Morgen dauern. Regis, der sich jetzt heimlich noch mehr Vorwürfe machte seinen Lehrer nicht doch noch in alles eingeweiht zu haben, war übrigens ganz ihrer Meinung. Doch Philippe gelang es schließlich die beiden davon zu überzeugen, dass es im Augenblick tatsächlich vernünftiger wäre erst einmal abzuwarten.

Er versuchte einen schwachen Trost. »Dass Jaquin dabei ist, macht die Sache doch weit weniger schlimm. Überlegt mal: So ganz allein, ja, da müsste Isabelle total durchdrehen. Vielleicht findet der Hund auch ohne irgendeinen Instinkt den Rückweg wieder, wir haben ganz vergessen, dass er ja riechen könnte, wo sie entlanggegangen oder gekrochen sind! Wenn ihm Isabelle nur irgendwie klarmachen kann, dass er ihre eigene Spur zurückverfolgen soll, dann müsste doch alles gut gehen!«

Aber ja, daran hatte Suzanne wirklich nicht gedacht. Immerhin stimmte sie diese Möglichkeit einer glücklichen Wende wieder ein bisschen zuversichtlicher.

Als sie endlich an ihrem Seil ins Freie geklettert waren, stellten sie erschreckt fest, wie dämmrig es bereits geworden war. Sie sprangen und rannten über die Geröllhalden und hielten erst auf der Brücke an um ein wenig zu verschnaufen.

»Ein Glück, dass unsere Eltern heute Abend nicht zu Hause sind«, entfuhr es Suzanne, »sonst wüsste ich wirklich nicht, wie wir Isabelles Verschwinden erklären sollten ohne gleich alles zu verraten.«

»Wenn sie nicht doch noch heute zurückfindet

durch Jaquins Hilfe«, meinte Philippe traurig, »dann bleibt uns morgen früh gar nichts anderes übrig, als alles unseren Eltern zu erzählen. Dann muss nämlich eine richtige Rettungsmannschaft zusammengestellt werden. Vielleicht muss sogar die Feuerwehr mithelfen suchen. Wisst ihr was?« Er gab sich einen Ruck. »Ich gehe auf jeden Fall später noch einmal zur Höhle hinauf! Schlafen kann ich heute Nacht sicher doch nicht!«

»Aber sag mir sofort Bescheid, wenn du zurückkommst«, bat Suzanne. »Mach am besten eine Eule nach und warte am Schuppen. Ich komme dann sofort meine ›Notleiter‹ hinunter.«

»Gut, einverstanden, aber jetzt reißt euch zusammen, falls eure Eltern noch nicht unterwegs sind. Im Augenblick darf euch noch niemand was anmerken, sonst ist schon heute Nacht der Teufel los. Und wie gesagt, es besteht ja immer noch die Hoffnung, dass Isabelle mit Jaquin allein zurückfindet, und dann wäre unser Geheimnis vorerst doch noch gewahrt!«

Sie trennten sich kurz hinter der Brücke, und als ob Philippe es tatsächlich vorausgesehen hätte, brannte in der Küche von Suzannes und Regis' Mutter noch das Licht. Regis stürzte als Erster mit einem kurzen Gruß an der offen stehenden Küchentür vorüber und gleich die Treppe hinauf zu seinem Zimmer. Aber bei Suzanne, von der ihre Mutter eine so knappe Art der Begrüßung nicht gewöhnt war, sollte es nicht auf diese einfache Weise klappen.

»Nun, ihr Spätheimkehrer«, scherzte Frau Dumont, »wie war's denn?«

»Ach, prima, Mutti. Wo ist denn Papa?«, lenkte Suzanne ab und gab sich Mühe ihre Stimme so unbefangen wie möglich klingen zu lassen.

»Der ist schon voraus. Ich wollte euch nur noch rasch etwas zu essen hinstellen.«

Suzanne fiel ein Stein vom Herzen! Wenn Papa schon gegangen war, dann hatte ihre Mutter nicht mehr viel Zeit lästige Fragen zu stellen. »Komm«, meinte sie eifrig, »ich stelle alles auf ein Tablett und nehme es mit nach oben in unser Zimmer. Isabelle kommt noch nach.«

Na ja, das war nicht einmal gelogen – nur *wann* die arme Isabelle nachkommen würde, das wusste der liebe Gott allein! In ihrem Zimmer stellte Suzanne das Tablett auf dem Tisch ab, riss das Fenster zum Garten auf, war mit einem kühnen Satz auf dem Fensterbrett und im Nu am Blitzableiter entlang unten im Garten. Ohne Zeit zu verlieren stürmte sie um die Hausecke und rannte in den Flur. Da sie beide gleich angezogen waren, musste es ganz so aussehen, als sei es die etwas verspätete Isabelle, die da ihrer Cousine auf den Fersen war. Suzannes Mutter stand, fertig zum Ausgehen, vor dem hohen Spiegel und ordnete sich die Haare. Glücklicherweise hatte sie gerade ein paar Haarnadeln im Mund, was sie daran hinderte, irgendwelche Fragen zu stellen. So drehte sie sich nicht einmal um, als nun Suzanne mit einem undeutlichen, mehr gebrummten als gerufenen »Hallo!« hinter ihr vorbeirannte. »Mm-mm« war alles, was die »Tante« mit einem lächelnden Nicken dem Spiegelbild ihrer vermeintlichen Nichte erwidern konnte.

Dann saß Suzanne auch schon erschöpft in ihrem Zimmer auf dem Bett. Nein, nach Essen war ihr jetzt, trotz aller Anstrengungen, wahrhaftig nicht zu Mute. Das Täuschungsmanöver war zwar unerwartet gut gelungen und ihre Mutter der festen Überzeugung, beide Mädchen seien oben in ihrem Zimmer, aber wie sollte das morgen früh weitergehen? Sie konnte ja nicht fortwährend diese »Doppelrolle« spielen, und erst recht nicht am helllichten Tag! Einmal musste es eben doch herauskommen, und was dann? Außerdem – hatte nicht Philippe gesagt, wenn Isabelle allein nicht den Rückweg heute noch fände, dann würde morgen eine Rettungsaktion anlaufen?

Später, als Suzanne in ihrem Bett lag, konnte sie lange Zeit keine Ruhe finden. Immerfort stand Isabelle vor ihren Augen in der finsteren Höhle mit ihren riesenhaften Sälen und ausweglosen Gängen. Ihr Herz hämmerte so wild, dass an Einschlafen überhaupt nicht zu denken war.

Außerdem quälten sie auch Gewissensbisse wegen des doch wohl nicht so ganz ehrlichen Spieles, das sie da mit ihrer ahnungslosen Mutter getrieben hatte! Auch eine »Notlüge« – und so etwas war ihr Täuschungsmanöver ja wohl gewesen – ist eben eine Lüge. Lange Zeit noch warf sie sich ruhelos von einer Seite auf die andere.

Regis in seinem Kämmerchen ging es kaum anders. Hätte er sich doch Philippe gegenüber energischer durchgesetzt und Herrn Lafontaine in ihr Abenteuer eingeweiht! Der hätte ganz bestimmt kein Sterbenswörtchen verraten, nein, der nicht! Und dann wäre das alles nicht passiert, weil er dabei gewesen wäre und es nie und nimmer zugelassen hätte, dass sie getrennt verschiedene Gänge untersuchten. Das hatten sie nun also von ihrem Hochmut ganz allein den Entdeckerruhm einheimsen zu wollen! Ja, »wenn« und »wäre«! Im Nachhinein ist man immer klüger.

Schließlich war Suzanne vor Übermüdung doch noch eingeschlafen. Dennoch war sie sofort hellwach, als im Garten, direkt unter ihrem Fenster, der hohle Schrei einer Eule ertönte. Philippe war also von seinem nächtlichen Erkundungsgang zurück und hatte das verabredete Zeichen gegeben. Suzanne schleuderte ihre Bettdecke zur Seite und kletterte hastig am Blitzableiter hinab in den Garten. Ja, da stand er zwischen zwei Büschen und trotz der spärlichen Helligkeit, denn am Himmel waren nach dieser sengenden Tageshitze schwere dunkle Wolken aufgezogen, sah sie, wie erschöpft und hoffnungslos ihr Vetter wirkte.

»Und?« Vor Erregung bebend, packte sie ihn an beiden Schultern. »Was ist? Sag doch was!«

»Nichts ist.« Philippe schüttelte traurig den Kopf. »Ich war am Höhleneingang und habe immer und immer wieder hinuntergerufen, aber es kam keine Antwort, alles blieb totenstill. Wenn Isabelle den Rückweg überhaupt noch gefunden hätte, dann wäre sie in der Zwischenzeit längst in Hörweite gewesen. Allein schafft sie es mit Jaquin ja doch nicht bis zum Eingang hochzuklettern und zurücklassen kann sie den armen Kerl da unten auch nicht. Was meinst du, was der im Dunkeln anstellen würde! Aber sie waren nicht da. Jetzt hilft alles nichts mehr. Wir dürfen sie nicht länger mit Jaquin allein lassen in der Höhle. Morgen früh oder genauer heute Morgen, es ist ja schon vier Uhr, müssen wir unseren Eltern alles gestehen!«

Suzanne blickte völlig verstört. »Aber wie um Gottes willen soll ich denn das meiner Mutter beibringen, dass ausgerechnet unser Ferienbesuch schon seit gestern Nachmittag verschollen ist, und das auch noch in einer unbekannten Höhle?«

Hinter den Hügeln jenseits des Flusses zuckte ein greller Blitz hernieder und gleich darauf schien ein lang anhaltender Donner über den ganzen, weiten Himmel hinwegzurollen. Die ersten dicken Regentropfen klatschten auf das Dach des Schuppens.

»Ich mach, dass ich nach Hause komme.« Philippe warf einen kritischen Blick auf die drohende Wolkenwand, die rasch immer höher stieg und schon fast den gesamten Nachthimmel überzogen hatte. »Verlass dich vorläufig mal ganz auf mich, immerhin bin ich ja der Älteste von uns und trage die Verantwortung.« Es klang, trotz aller Verzagtheit über Isabelles ungewisses Schicksal, beinahe ein wenig Stolz in seiner Stimme.

»Also dann, Kopf hoch, und versuche wenigstens noch ein paar Stunden zu schlafen. Morgen werden wir allerhand durchstehen müssen!«

Er drehte sich um und rannte los, denn jetzt prasselte der Regen schon so stark aufs Schuppendach, dass die Tropfen sofort wieder ein Stück in die Höhe spritzten. Das Gewitter war immer näher gekommen, der Abstand zwischen Blitz und Donner verkürzte sich mehr und mehr und Suzanne sah beim Schein der immer rascher aufeinander folgenden Blitze, wie sich die hohen Pappeln unten am Fluss in heftigen Sturmböen bogen. Sie machte, dass sie so schnell wie möglich hinauf in ihr Zimmer kam, und schloss das Fenster. Armer Philippe, dachte sie, bis er zu Hause ankommt, muss er bei diesem strömenden Regen ja bis auf die Haut durchnässt sein! Nur gut, dass auch er einen »eigenen Zugang« zu seinem Zimmer hat und ihn jetzt kaum jemand von der Familie sehen kann.

Suzanne zog die Decke über ihren Kopf. Das Rauschen des Regens, ja selbst der grollende Donner und das helle Knacken vom Sturm gebrochener Äste waren jetzt nur noch gedämpft zu hören. Diesmal dauerte es auch gar nicht mehr lange, bis sie in einen tiefen Erschöpfungsschlaf fiel. Dieser Tag voller freudiger Überraschungen, der dann doch noch in einer solchen Mutlosigkeit und Verzweiflung enden sollte, hatte sie sehr mitgenommen!

Philippe saß am Frühstückstisch und kaute lustlos an seinem Brot herum. Wenn er doch nur wüsste, wie er den Anfang machen sollte mit seinem Geständnis. Und Zeit war ja nun wirklich nicht mehr zu verlieren!

»Hast du eigentlich von dem Gewitter heute Nacht etwas gemerkt, Philippe?«, fragte ihn seine Mutter. »Es hat geschüttet, was nur vom Himmel herunterging. Ein richtiger Wolkenbruch war das, man konnte sich einbilden, die Welt ginge unter.«

»Mm«, machte Philippe und war heilfroh gerade

den Mund voll zu haben und dadurch um eine klare Antwort herumzukommen. Aber das war letzten Endes ja auch nur ein kleiner Aufschub!

Das Schicksal nahte sich ihm bereits in Gestalt seiner kleinen Schwester Cécile. »Bist du ins Wasser gefallen?« Breitbeinig, ihre Hände auf dem Rücken, stand sie vor ihrem großen Bruder und blickte ihn herausfordernd an. »Wieso?« Philippe hatte Mühe sich nicht zu verschlucken. »Wie kommst du denn auf die Idee?«

»Weil in deinem Zimmer lauter nasse Kleider über dem Stuhl hängen.« Erwartungsvoll schielte Cécile nach ihrer Mutter. So – dachte Philippe, jetzt wären wir also so weit. Nun hilft keine Ausrede mehr!

»Philippe!« Seine Mutter sah ihn streng an. »Heraus mit der Sprache. Warst du etwa während dieses Unwetters draußen?«

Er rührte verlegen in seiner Tasse und blickte scheu zu seiner Mutter auf, die nun am Tisch direkt vor ihm stand. Schließlich nickte er nur, weil er immer noch nach den richtigen Worten suchte.

»Aber um Himmels willen, was tust du denn mitten in der Nacht und dazu auch noch bei so einem Wetter draußen im Freien? Nun aber ehrlich, wo warst du?«

»Ich, ich«, Philippe musste schlucken, »ich war auf der anderen Seite des Flusses«, stieß er endlich mühsam hervor. »Ich habe nach Isabelle gesucht.«

Seiner Mutter wäre vor Schreck beinahe das große Brotmesser aus der Hand gefallen. »Isabelle gesucht? Nachts, im Dunkeln und bei einem derartigen Gewitter auf der anderen Seite des Flusses?

Sag mal, was faselst du denn da eigentlich zusammen? Würdest du mir bitte sofort erklären, was das heißen soll?«

Es war eine lange, ausführliche Beichte, die Philippe abzulegen hatte. Zuerst stotterte er noch vor Angst und Aufregung und brachte kaum einen zusammenhängenden Satz zuwege. Aber schon bald unterbrach ihn seine Mutter und schickte Cécile, die mit weit aufgerissenen Augen auf einem Stuhl danebenhockte und sich kein einziges Wort entgehen ließ, zu ihrem Vater in die Backstube. Der sollte sich diese unglaubliche Geschichte nur gleich mit anhören, denn es war keine Zeit, keine Minute zu verlieren. Irgendetwas musste sofort geschehen – aber was?

Als Monsieur Malfait, sich die mehlüberpuderten Hände an der weißen Bäckerschürze abwischend, in die Küche trat, schaute er verwirrt von dem stammelnden Philippe zu seiner Frau. Der Junge war in seiner tödlichen Verlegenheit und vor lauter Schuldbewusstsein blutrot im Gesicht, seine Mutter hingegen nicht minder auffallend blass.

»Was ist mit Isabelle?« Fragend sah der Bäckermeister seine Frau an, die sich auf einen Hocker hatte fallen lassen und wie versteinert am Tisch saß. Cécile hatte also die paar Schritte unterwegs schon gepetzt, wie üblich, schoss es Philippe durch den Kopf. Er begann stockend noch einmal von vorn und seine Eltern hörten sprachlos zu. Das war vielleicht sogar das Schlimmste für ihn, dieses stumme Zuhören ohne Zwischenfrage oder Unterbrechung. Er kam sich wirklich wie ein Verbrecher auf der Anklagebank vor, der den Hergang irgendeiner abscheulichen Untat dem Gericht schildern muss.

Als er endlich fertig war, schwiegen seine Eltern noch immer und Monsieur Malfait war nun nicht weniger bleich als seine Frau. Mein Gott, dachte er, wie sollen wir das nur meiner Schwägerin und meinem Schwager beibringen, wenn Isabelle tatsächlich etwas passiert ist.

»Bitte, Henry.« Philippes Mutter legte sanft ihre Hand auf den noch immer etwas mehligen Arm ihres Mannes. »Sag doch etwas. Was sollen wir denn nur tun?« Monsieur Malfait sah seinem schüchtern dasitzenden Sohn voll in die Augen. Jetzt kommt's, dachte der entsetzt und senkte scheu den Blick. Jetzt bricht das gefürchtete Donnerwetter über mich herein.

Aber es kam nicht, das Donnerwetter. Was hätte es auch wohl nützen können jetzt Vorwürfe zu machen oder gar zu schimpfen, wo doch jede Minute kostbar war? Einer zumindest musste ja einen klaren Kopf bewahren. Ohne einen vernünftigen Plan wären die Aussichten auf Erfolg der nun unverzüglich zu startenden Such- und Rettungsaktion gleich null.

Monsieur Malfait holte nur einmal ganz tief Luft, band seine Schürze ab und lief ohne ein Wort der Erwiderung zum Telefon. Mit zitternder Hand hielt er den Hörer und wählte die Nummer seines Schwagers in der Apotheke. Dann hörten Philippe und seine Mutter seine aufgeregte Stimme durch die offen gebliebene Flurtür. Mit so wenig Worten wie nur möglich suchte er Suzannes Vater zu erklären, was vorgefallen war. Gespannt lauschte er in die Hörmuschel.

Onkel Gérard wird irgendeinen Vorschlag machen, dachte Philippe. Wenn ich nur dort nicht noch einmal alles erzählen muss, das ist ja schlimmer als Spießrutenlaufen. Aber gerade das war es ja, was ihm sein Vater trotz aller Verbitterung über die ganze Geheimniskrämerei mit ihren so bösen Folgen nicht zumuten wollte. Auf den ersten Blick hatte er beim Betreten der Küche nur allzu deutlich erkannt, wie fertig und am Ende sein Ältester war.

Endlich legte er den Hörer auf. Auch wenn ihn immer noch dieser quälende Kloß im Hals drückte, spürte Philippe so etwas wie Bewunderung für seinen Vater. Wie ruhig, zumindest äußerlich, und überlegen er in dieser verzweifelten Lage blieb und seine Anordnungen traf!

»Heute muss der Gehilfe Brot ausfahren, auch wenn es ausnahmsweise einmal später geworden ist als gewohnt, es ist ja eine echte Notlage und das muss schließlich jeder einsehen. Philippe, du läufst zu Monsieur Oscar und richtest ihm von mir aus, ich bäte ihn so rasch wie möglich in die Apotheke zu kommen, es sei außerordentlich wichtig. Bring ihn am besten selbst gleich mit und berichte unterwegs das Nötigste, da verlieren wir später keine Zeit mehr. Onkel Gérard und ich gehen mit dir, Suzanne, Regis und Monsieur Oscar als Amtsperson sofort in die Höhle. Ich zieh mir nur rasch ein paar alte Sachen an. Nein, Mutter«, wandte er sich seiner Frau zu, die ihn fragend anblickte, »bleib du hier. Wir können nicht alle gleichzeitig auf die

Suche gehen. Zu viele behindern sich nur gegenseitig. Aber vielleicht könntest du Monsieur Rouet informieren, der weiß als Bürgermeister am besten, wer sonst noch verständigt werden muss.«

Philippe sauste los. Hoffentlich war Monsieur Oscar auf der Gendarmeriestation und nicht gerade irgendwo unterwegs. Aber glücklicherweise fand er ihn lässig hinter seinem Schreibtisch sitzend und irgendwelche Akten studierend. Er schnallte sofort sein Koppel um und setzte die Dienstmütze auf, als er mit vor Überraschung offen stehendem Mund Philippes Kurzbericht vernommen hatte.

»Nimm dort die Lampe vom Haken.« Seine Stimme zitterte tatsächlich ein ganz klein wenig, wie Philippe mit Überraschung feststellte. »Wir werden sie sicher gebrauchen können. Es ist eine extra starke, wie wir sie bei nächtlichen Verkehrsunfällen einsetzen. Jetzt lauf voraus, ich nehme auf jeden Fall mein Fahrrad mit. Vielleicht muss einer rasch ins Dorf zurück um etwas zu holen oder jemand zu benachrichtigen.«

Sie kamen fast gleichzeitig bei der Apotheke an. Suzannes Mutter stand, nicht weniger bleich als ihre Schwägerin, mit ineinander verkrampften Händen neben ihrem Mann, der seinen weißen Kittel bereits gegen ein paar alte Jeans und eine derbe Jacke ausgetauscht hatte. In aller Eile packte er noch Pflaster, Medikamente und Mullbinden zusammen um notfalls an Ort und Stelle in der Höhle erste Hilfe leisten zu können.

Suzanne wurde ganz übel, als sie sich Isabelle ohnmächtig mit all diesen Mullbinden umwickelt vorstellte, blutend und mit gebrochenen Beinen. Sie und Regis hatten sich scheu in den Hintergrund verkrochen und blickten Philippe ein wenig schuldbewusst entgegen, weil er allein die schwere Last des »Geständnisses« auf sich genommen hatte.

Monsieur Oscar begrüßte alle ungewöhnlich ernst. »Lassen Sie uns keine Zeit verlieren, alles Weitere kann unterwegs besprochen werden«, mahnte er. »Haben wir genügend Lampen? Es ist wichtig, dass jeder eine Lampe mit möglichst frischer Batterie hat. Jetzt habe ich den Kompass vergessen, wie ärgerlich. Haben Sie einen zur Hand, Herr Apotheker? Ohne Kompass muss man ja die Orientierung in unterirdischen Gängen total verlieren.«

Es gab Philippe einen richtigen Ruck. Daran hätte er unbedingt denken müssen – schon beim ersten Einstieg in die Höhle. Ein Kompass, ja, dann wäre wahrscheinlich alles ganz anders gekommen. Aber so ist es nun mal, im Nachhinein nützt der beste Rat nichts mehr. Suzannes Vater schickte Regis ins Haus hinüber seinen alten Kompass holen und dann brachen sie endgültig auf.

Der Fluss hatte sich in einen reißenden Strom verwandelt, dessen jetzt schmutzig-lehmgelbes Wasser in wilden Strudeln um die Pfeiler gurgelte. Es trieben eine Menge Äste und hier und da sogar ganze entwurzelte Bäume darin. Das strömende Wasser hatte sie unterspült, bis der vom sintflutartigen Regen völlig aufgeweichte Boden nachgab und sie in die Fluten rutschten. Am schwersten hatte es auf dem jenseitigen Ufer Monsieur Oscar, der wegen seines Fahrrads, das er neben sich herschob, nicht wie die anderen von Stein zu Stein springen konnte und in dem vom Sturzregen glitschig gewordenen Kalklehmboden immer wieder ausrutschte.

Onkel Gérard stellte Philippe ganz gezielte Fragen, damit er sich nicht in langatmige Erläuterungen ihrer Abenteuer verlieren konnte. So waren alle ausreichend unterrichtet, als sie endlich atemlos vor dem dichten, dornenbewehrten Gestrüpp um den Höhleneingang herum anlangten.

Philippe drang als Erster an der gewohnten Stelle in das Dickicht ein und hielt behutsam die Zweige zur Seite, so dass sein Vater, Onkel Gérard, Monsieur Oscar und ganz zuletzt auch Suzanne mit Regis folgen konnten. Nun sprach niemand mehr, nicht allein, weil jetzt die Spannung bei den Erwachsenen auf ihrem vorläufigen Höhepunkt angelangt war, sondern vor allem deshalb, weil sie sich alle Mühe geben mussten möglichst unzerkratzt zwischen all den zahllosen Dornen hindurchzukommen.

Just im selben Augenblick, in dem sie aufatmend endlich den letzten Zweig fahren ließen und die kleine, bewuchsfreie Stelle inmitten des Gebüsches erreichten, fuhren alle erschreckt zusammen. Philippe war es, der den Entsetzensschrei ausgestoßen hatte. »Nein!« Er kniete auf der Erde und zerrte mit bloßen Händen Steine zur Seite. Dann jedoch warf er sich schluchzend längelang hin, ein Bild völliger Verzweiflung.

Die Männer sahen sich erschrocken und verständnislos an. »Philippe«, rief sein Vater endlich und zog ihn an den Schultern hoch. »Junge, was ist denn?«

Philippe wischte sich mit der geballten Faust über die tränenverschmierten Augen. »Hier«, stammelte er, »hier war der Eingang zur Höhle. Seht ihr die Lücke dort zwischen den Büschen? Die war gestern noch nicht. Der Gewitterregen hat Massen von Erde und Geröll den Hang hinabgespült. Und ausgerechnet hierhin in diese Bodenrinne ist der Schlammstrom geflossen! Jetzt ist der Höhleneingang bis obenhin zugeschwemmt. Es hat gar keinen Zweck mehr hier zu graben«, schluchzte er, »die Menge an Steinen und Erde kriegen wir doch nicht heraus, dazu brauchen wir bestimmt ein paar Tage. Und was ist bis dahin mit Isabelle?«

Ein grausiger Fund

Anfänglich hatte Isabelle hier und da noch ein fernes Stolpern vernommen und einmal konnte sie sogar ganz deutlich ein helles »Autsch, verflixt« aus Suzannes Mund hören. Wahrscheinlich, dachte sie, hat sie sich einen Knöchel oder das Schienbein gestoßen. Kein Wunder bei den vielen Felsbrocken, die überall durcheinander lagen.

Aber dann hatte sie weiß Gott gar keine Zeit mehr auch noch auf die anderen zu achten. Nicht allein, weil die Entfernung zwischen ihnen ja mit jedem Schritt größer wurde, sondern weit mehr noch, weil sie nun vollauf damit beschäftigt war, mit ihrer Taschenlampe einen Weg ausfindig zu machen zwischen zahllosen Stalagmiten hindurch und über Felsgeröll hinweg, das irgendwann einmal von der unsichtbaren, hohen Höhlendecke herabgestürzt war. Isabelle schüttelte sich bei der Vorstellung, wie das Echo der weit verzweigten, unterirdischen Gänge dieses dröhnende Poltern und Krachen gar nicht mehr zur Ruhe kommen ließ – und was wohl mit ihr geschähe, wenn das Gleiche hier wieder passierte?

»Ach was«, sagte sie laut um den schrecklichen Gedanken zu verscheuchen und strich sich mit der Hand die Haare aus der Stirn. »Die paar Stunden wird die Decke auch noch halten, nicht wahr, Jaquin? Komm jetzt.« Sie hatte den Hund wieder an die Leine genommen und deren Ende fest um ihr Handgelenk gewickelt. Irgendwie spürte sie das Bedürfnis mit ihm in Berührung zu bleiben, sein kräftiges Ziehen an der Leine zu spüren. So fühlte sie sich weniger einsam.

Sie musste nun beim Vorangehen geradezu höllisch aufpassen. Die kleinen Steine gaben unter ihren Füßen nach, so dass es oft mehr eine Rutschpartie war als ein Laufen, und über die großen ging es mitunter nur auf allen vieren voran. Selbst für Jaquin war das recht anstrengend – trotz seiner vier Beine. Nur konnte er natürlich leichter unter überhängenden Felsmassen und spitzen Stalaktiten hindurchkriechen als Isabelle, deren Kreuz von dem fortwährenden tiefen Bücken langsam zu schmerzen anfing. Aber was galt das schließlich, wenn man im Begriff war so etwas Einmaliges und Herrliches zu erleben? Wenn sie sich vorstellte, wie ihre Klassenkameradinnen atemlos und mit offenen Mündern der Erzählung ihrer unterirdischen Abenteuer lauschen würden!

Unvermutet lockerte sich der Zug an Jaquins Leine. Isabelle blieb stehen und ließ den viel zu schmalen Lichtkegel ihrer Stablampe suchend über den Boden gleiten. Da! Siehst du wohl, schalt sie sich selbst, das kommt davon, wenn man von zukünftigen Lorbeeren träumt, die man sich noch gar nicht verdient hat. Jaquin wird zum Glück nicht von dergleichen abgelenkt und er hat es auch prompt gemerkt, dass es wieder einmal darum geht, eine Entscheidung zu treffen. Der Gang gabelte sich. Isabelle hockte sich auf einen glatten Felsbrocken und zog Jaquin so nah an sich heran, dass sie ihren Arm um seinen Hals legen konnte.

»Was machen wir jetzt, Jaquin? Rechts oder links?«

Aber der guckte sie nur erwartungsvoll an. »Na ja«, seufzte Isabelle, »ist ja auch ein bisschen zu viel verlangt von dir, also knobeln wir.« Sie fischte ein Geldstück aus der Tasche und ließ es vor Jaquins Augen im Lampenlicht glitzern. »Kopf ist rechts – Zahl links.« Dann schleuderte sie es mit einer ruckartigen Bewegung in die Höhe und fing es auf der ausgestreckten Hand wieder auf.

»Zahl, Jaquin, siehst du? Also geht's links weiter.« Sie rutschte von ihrem Stein herunter, fasste Jaquin kurz am Halsband und zog ihn vor die Öffnung des links weiterführenden Ganges. »Da lang – wenn's gefällig ist.«

Hier ging es nun allerdings bedeutend leichter als zu Anfang. Der Boden war fast frei von hinderlichen Steinen und nahezu eben. Vermutlich ist hier vor noch gar nicht allzu langer Zeit ein unterirdischer Fluss durchgeströmt und hat den ganzen Schotter mit fortgespült, dachte Isabelle. Sorgfältig leuchtete sie die Wände zu beiden Seiten ab. Aha, da haben wir ja den Beweis. Schade, dass die anderen jetzt nicht dabei sind. Ob der neunmalkluge Regis auch dafür eine Erklärung hätte? Ein runder Stein, der mitten in einer trichterförmigen Vertiefung des Felsbodens liegt wie ein Riesenei in seinem Nest. Isabelle erinnerte sich so etwas Ähnliches schon auf einem Foto in einem erdkundlichen Buch gesehen zu haben. Sie zerrte den weiterstrebenden Hund etwas unsanft an der Leine zu sich zurück.

»Schau dir das an, Jaquin.« Sie wies mit dem Finger auf den runden Stein. »Den hat das strömende Wasser ständig im Kreis herumgewirbelt und dabei hat er dann in vielen Jahren den Felsen zu diesem komischen Steintrichter ausgeschliffen. Stell dir vor, wie lange das wohl gedauert haben mag.«

Natürlich wusste Isabelle, dass der Hund kein Wort von ihrer Erklärung verstand, aber es tat ihr wohl mit jemandem zu sprechen, weil es dieses beklemmende Gefühl des Alleinseins in unbekannten Tiefen der Erde verscheuchte. Jaquin zeigte denn auch erwartungsgemäß nicht das mindeste Interesse an der Sache. Ungestüm zog es ihn weiter voran. Seufzend erhob sich Isabelle aus der Hocke. »Na schön, dann habe ich den anderen wenigstens etwas zu berichten, was wir bis jetzt noch nicht gemeinsam entdeckt haben.« Sie stolperte hinter Jaquin her. »Aua, Jaquin.« Unwillig riss Isabelle an der Leine. »Nicht so hastig, du tust mir ja weh.« Die lederne Leine hatte sich tief in ihr Handgelenk eingeschnitten, aber Jaquin ließ trotz des Zurufs nicht locker. Er scheint irgendetwas zu wittern oder zu fühlen, was weiß ich, dachte Isabelle. Hunde haben vielleicht so Ahnungen. Und genauso war's. Möglicherweise hatte er mit seinem scharfen Hundegehör irgendeine Veränderung am Klang und Widerhall ihrer Schritte bemerkt. Jedenfalls weitete sich der Gang unversehens zu einem Felsensaal, besser gesagt, es war eigentlich mehr ein Zimmer als ein großer Saal. Ein auffallend niedriger, fast kreisrunder Raum, wie sich herausstellte, als Isabelle versuchte ihn mit ihrer Taschenlampe auszuleuchten. Der Boden war wohltuend eben, ja fast glatt, als hätte irgendwer alle Steine zusammengelesen und dort drüben vor einer nischenartigen Wölbung der Seitenwand sorgsam aufeinander geschichtet. Doch Isabelle blieb nicht viel Zeit sich über diese eigenartige »Mauer« zu wundern. Erst knurrend, dann jedoch laut aufjaulend stürzte sich Jaquin auf etwas, das er noch vor Isabelle mitten im Felsenraum auf dem Boden entdeckt hatte, und riss dabei um ein Haar seine Begleiterin um.

»Autsch, verrückter Kerl, was...« Aber alles Weitere blieb ihr vor Überraschung im Hals stecken. Ich werd verrückt, schoss es ihr durch den Kopf und sie ertappte sich dabei, dass sie unwillkürlich herumfuhr und mit jagendem Herzen hinter sich blickte, als könne dort jemand im Dunkeln lauern.

»Blödsinn«, schimpfte sie sich selbst und zog den noch immer knurrenden Jaquin näher zu sich heran. »Hier war zwanzigtausend Jahre kein Mensch, also, was soll die Angst?« Isabelle versuchte sich selbst Mut zuzusprechen, denn das, was da vor ihr auf dem blanken Felsboden lag, waren unzweifelhaft von Menschen zusammengetragene und absichtlich im Kreis angeordnete Steine – und dazwischen etwas Tiefschwarzes. Eine Feuerstelle? Isabelle hockte sich dicht neben den eigenartigen Steinring und befühlte die schwarze Masse mit dem ausgestreckten Zeigefinger. Schon beim leisesten Antippen zerbröckelte sie. Verkohltes Holz, ja, und mittendrin in diesen Überresten eines Feuers steckten hellere, scharfrandige Splitter sowie ein graues, keulenförmiges Gebilde.

Neugierig rutschte Isabelle noch etwas näher heran. Ein unbezähmbarer Wissensdurst ließ sie alle ursprünglich empfundene Furcht vergessen. Tatsächlich, das war ein großer Tierknochen, vielleicht ein Schenkelknochen vom Bison oder sogar vom Höhlenbär? Aber wieso hatten die alten Cromagnon-Jäger ihren fertigen Braten auf dem herabgebrannten Holz der Feuerstelle liegen gelassen? Sollte vielleicht ...?

Ein unheimlicher Gedanke ließ ihr einen würgenden Kloß im Hals aufsteigen, dass sie schlucken musste. Hatten die Jäger der Steinzeit nicht ihren Toten außer Waffen, Gebrauchsgegenständen und Schmuck auch immer Nahrung mit ins Grab gegeben, damit sie im Reich der Toten nicht zu hungern brauchten? Isabelle warf einen scheuen Blick auf die eigenartige Steinsetzung an der gegenüberliegenden Wand, nur zwei, drei große Schritte von der Feuerstelle entfernt. Wie war das noch? Bestatteten die Cromagnon-Menschen ihre Toten nicht auch nahe bei einer Feuerstelle um dem erkalteten Körper damit die Wärme des Lebens wiederzugeben?

Isabelles Neugier siegte schließlich doch über ihre Furcht. Fest packte sie Jaquin am Halsband. »Komm«, flüsterte sie ihm ins Ohr, »komm, Jaquin, wir müssen wissen, was unter diesen Steinen da drüben liegt. Setz dich und rühr dich nicht von der Stelle.« Wieder empfand sie die Nähe des Hundes als einen Trost. Gar nicht auszudenken hier unten völlig allein zu sein. Mit ihrer linken Hand hielt sie die Taschenlampe und versuchte mit der rechten einen der flachen Decksteine ganz vorsichtig ein wenig anzuheben. Erst als sie einen zweiten und dann noch einen dritten zur Seite geschoben hatte, wagte sie es mit ihrer Taschenlampe in die dunkle, gähnende Öffnung hineinzuleuchten.

Mit einem gellenden Aufschrei fuhr sie zurück und wäre beinahe rücklings in die Reste der Feuerstelle gestürzt. Ein Totenschädel grinste sie aus unheimlichen, seltsam rechteckigen Augenhöhlen an. Das Schrecklichste aber war, dass er sie auch noch aus seinem weit geöffneten Mund anzuschreien schien. Der Unterkiefer war herabgesunken und die im Lichtstrahl der Taschenlampe aufblinkenden Zähne erinnerten an das drohend gebleckte Gebiss eines zupackenden wilden Tieres.

Isabelle dachte in ihrem Entsetzen gar nicht mehr daran, rasch die Decksteine wieder über die Graböffnung zu legen. Nur fort von hier, ganz egal wohin, und so rasch wie möglich. Überall, selbst im hintersten Winkel des finsteren Höhlenganges war es besser als hier.

Sie zerrte den verdutzten Jaquin hinter sich her zwischen Stalagmiten hindurch und über glitschige, schräg gestellte Felsplatten hinweg und spürte in ihrer panischen Angst nicht einmal, wie sie sich die Knöchel wund stieß, ihre Schultern und Ellbogen rammte. Der Gang – sie hatte in ihrer Aufregung überhaupt nicht darauf geachtet, in welcher Richtung sie von dem grausigen Ort floh – wurde zusehends enger. Schließlich war Isabelle gezwungen auf allen vieren voranzukriechen,

Jaquin immer dicht hinter sich. Endlich erreichten sie einen neuen Felsensaal mit mehreren Ausgängen. Jaquin, dessen Zunge weit aus dem Maul heraushing, wollte sich hinlegen, aber Isabelle ließ es nicht zu.

»Weiter, Jaquin«, keuchte sie, »wir müssen noch ein Stück weiter, bitte, sei lieb und halte durch. Wir können uns hier noch nicht ausruhen. Ich meine immer noch, es wäre einer hinter uns her, weil wir die Ruhe des Toten gestört haben, irgendein Geist oder Gespenst oder so was Ähnliches.« Ohne zu überlegen hastete sie auf die nächste Öffnung in der Wand zu und zerrte den widerstrebenden Jaquin unsanft hinter sich her. So ging es noch mehrmals und als die beiden endlich völlig atemlos und erschöpft in einer niedrigen, nischenartigen Erweiterung ihres zuletzt durchlaufenen Gangs ankamen, erkannte Isabelle, dass hier wohl bereits vor vielen tausend Jahren die Decke heruntergestürzt sein musste. Sie konnten nicht weiter.

Mutlos ließ sich Isabelle auf einen niedrigen Steinsockel fallen. Ihre Ellbogen auf die Knie gestützt und den müden Kopf zwischen den Händen haltend, hockte sie da und schaute Jaquin an, der vor ihr saß und sich vergeblich abmühte seine schlappen Hängeohren aufmerksam und hoffnungsfreudig zu stellen, ganz so, als wolle er seiner Gefährtin trotz allem ein wenig Mut machen. Schließlich raffte sich Isabelle auf. Ein gesunder Hunger kann einen sogar Angst und Schrecken für eine Weile vergessen lassen und er war nach dieser Hetze wahrhaftig kein Wunder.

»Weißt du was, alter Bursche? Jetzt essen wir

beide erst mal was – vielleicht wird uns dann wohler.« Glücklicherweise hatte sie ein übrig gebliebenes Stück Butterbrot und einen immerhin noch ganz ansehnlichen Wurstzipfel in ihre Tasche gesteckt. »Hier, Jaquin, aber schling die Wurst nicht so hastig hinunter, es gibt vor heute Abend nichts mehr!« Das Essen wirkte wohltuend beruhigend. Doch plötzlich durchfuhr Isabelle ein Schreck.

»Ach, du lieber Himmel.« Entsetzt beleuchtete sie das Zifferblatt ihrer Uhr. »Weißt du, wie spät es ist? Wir müssen so rasch wie möglich zurück, sonst warten die anderen. Komm.« Sie stand auf. »Also, nichts wie los.«

Sie wickelte wieder die Leine um ihr Handgelenk. Nun lief Jaquin wieder voran und zog an der Schnur, als wüsste er genau, dass es endlich zurückgehen sollte zu den anderen und hinauf ans Tageslicht. Sie gelangten auch wieder glücklich in den letzten Felsensaal, aber aus welcher Richtung waren sie nur bei ihrer kopflosen Flucht hierhergelangt?

Isabelle leuchtete alle Wände ab, aber da gab es mehrere Zugänge. »Such, Jaquin«, rief sie in der Hoffnung, die feine Hundenase würde ihre alte Spur wieder finden. Hatte sie nicht irgendwo einmal gelesen, Hunde konnten sogar die geringen Duftspuren wittern, die von den Füßen eines Menschen beim Gehen auf dem Boden hinterlassen werden – selbst durch eine dicke Gummisohle hindurch? Sie drückte Jaquin die Nase bis auf den Felsen hinab. »Such doch.« Aber der verstand offenbar nicht, was sie damit wollte. Wahrscheinlich war ihm der eigene Geruch und der Isabelles auch zu vertraut, jedenfalls blickte er sie verständnislos an und versuchte ihr in treuherziger Verlegenheit die Hand zu lecken.

»Na, dann nicht«, seufzte Isabelle und zuckte resignierend mit den Schultern. »Versuchen wir's mal hier.« Sie leuchtete in einen Seitengang und schubste Jaquin, der unschlüssig neben ihr stand, darauf zu. »Das war mit Sicherheit nicht der Gang, aus dem wir kamen. An den dicken Stalagmiten da am Ausgang kann ich mich nämlich nicht erinnern. Der wäre mir ganz bestimmt aufgefallen, allein schon weil man sich ganz schmal machen muss um überhaupt an ihm vorbeizukommen. Aber wir wollen ja auch um keinen Preis mehr an dem Grab vorbei, nicht wahr, Jaquin? Lieber suchen wir uns einen anderen Weg zurück.«

Aber es war kein Weg zurück. Der Gang gabelte sich an verschiedenen Stellen, und da Isabelle ihre Wahl jeweils allein nach dem ungewissen Gefühl traf, es müsse in dieser Richtung weitergehen, verirrten sie sich immer mehr. Längst war der Zeitpunkt überschritten, zu dem sie sich am vereinbarten Treffpunkt wieder sehen sollten. Je später es wurde, umso nervöser drang Isabelle in immer wieder neue Gänge ein, von denen sie glaubte, sie führten in die gesuchte Richtung.

Es war alles vergebens. Dieses unterirdische Labyrinth schien ausweglos und der Rückweg unauffindbar. Als die beiden nach stundenlangem Umherirren endlich an einen unterirdischen Wasserlauf kamen, schöpfte Isabelle zum ersten Mal wieder etwas Hoffnung. Das dunkle Wasser verriet eine deutliche, wenn auch nur schwache Strömung – und schließlich musste es ja irgendwo wieder an die Oberfläche der Erde gelangen. Vielleicht war diese Stelle gar nicht weit?

Erst als sie sich hingesetzt hatte um ein wenig auszuruhen, spürte Isabelle, wie müde sie war. Am ganzen Körper kam sie sich wie zerschlagen vor. Ja, hier wollte sie erst einmal wieder Kräfte sammeln. Sie wagte es gar nicht auf ihre Uhr zu schauen. Nach so langer Zeit würden die anderen wahrscheinlich nicht mehr auf sie warten, denn inzwischen musste es draußen längst schon dunkel geworden sein. Isabelle zündete eine Kerze an und klebte sie mit ein wenig Wachs auf einen Stein um die Batterie ihrer Taschenlampe zu schonen. Wie gut, dass sie wenigstens noch einen Apfel hatte gegen den Durst, denn von dem eiskalten Höhlenwasser wollte sie doch lieber nicht trinken.

»Komm her, Jaquin«, rief sie dem Hund zu, der am Wasser entlanggelaufen war und suchend herumschnupperte. Er gehorchte willig und blickte sie mit seinen großen Augen an, als wollte er fragen: Was machen wir denn jetzt nur? Isabelle hatte sich auf den Boden gesetzt und den Rücken gegen einen Stalagmiten gelehnt. Jaquin verstand sie diesmal sofort. Bereitwillig kuschelte er sich an seine Begleiterin. Sie spürte wohlig seine Wärme, als ihr auch schon die Augen zufielen.

Wie lange sie geschlafen hatte, konnte sie nicht mehr feststellen. Als sie erwachte, war die Kerze heruntergebrannt und es herrschte undurchdringliche Finsternis. Suchend tastete sie mit der freien Hand den Boden nach ihrer Taschenlampe ab. Als sie endlich das runde Metallgehäuse fühlte und ihre Uhr beleuchtete, musste sie feststellen, dass die Zeiger stehen geblieben waren. Wahrscheinlich war die Uhr beschädigt worden, als sie bäuchlings durch enge Felsspalten gekrochen war. Schon möglich, dass sie dabei ganz unbemerkt mit der Uhr gegen die harte Steinwand geschlagen hatte.

Jaquin schlief noch. Isabelle merkte es an seinen tiefen, regelmäßigen Atemzügen. Armer Kerl, dachte sie. Du bist genauso kaputt wie ich, es will schon etwas heißen, wenn ein Hund nicht aufwacht bei der leisesten Regung in unmittelbarer Nähe. Es hat ja nun doch alles keinen Zweck, denn inzwischen muss längst alles entdeckt sein, nachdem die anderen ohne uns heimkamen. Ruhen wir uns erst einmal richtig aus, dann versuchen wir irgendwie dem Wasserlauf zu folgen, wenn er nicht tief ist. Sicher wird man uns auch suchen. Isabelle war immer noch zu müde und erschöpft um ihre entsetzliche Lage richtig zu beurteilen. Fest schmiegte sie sich an den treuen Jaquin und war, kaum hatte sie ihre Lampe ausgeknipst, bereits wieder eingeschlafen.

Vinaigres große Stunde

Suzannes, Regis' und Philippes Väter starrten noch immer mit bleichen Gesichtern auf die schlammüberkrusteten Geröllmassen. Sie konnten und wollten einfach nicht wahrhaben, was hier doch so über alle Zweifel deutlich geschehen war. Erst Suzannes lautes Schluchzen schien sie aus ihrer Lähmung zu befreien. Ratlos blickten sie einander an, jeder hoffend, der andere würde ein erlösendes Wort sprechen und damit irgendeine Hoffnung wecken.

Monsieur Dumont wandte sich jetzt der weinenden Suzanne zu und strich ihr übers Haar. »Ja, ja, ich weiß, wie dir zu Mute ist, Kind«, sagte er. »Aber alles Weinen und Jammern hilft uns nun nicht weiter – und der armen Isabelle schon gar nicht. Wir müssen etwas unternehmen um den Eingang zur Höhle so schnell wie möglich wieder freizulegen. Was meinst du«, wandte er sich seinem Schwager zu, »ob wir nicht sofort die Polizei verständigen sollen? Monsieur Oscar, wie denken Sie darüber? – Nun sagt doch endlich einer was.«

Monsieur Oscar, der genauso blass war wie alle anderen, strich sich mit einer fahrigen Geste seinen schwarzen Bart und begann vor Aufregung zu stottern. »Ich – ich glaube, das heißt, ich meine – nein, wirklich, die Feuerwehr ist dafür im Augenblick wohl zuständiger als die Polizei. Feuerwehrmänner löschen ja nicht nur Brände, sie sind auch ausgebildet bei Überschwemmungen Hilfe zu leisten und Verschüttete zu bergen.«

Jetzt hatte sich die lähmende Starre auch bei Philippes Vater gelöst. »Was wir vor allem bräuchten, ist ein Bagger«, fiel er ein und seine Stimme klang seltsam brüchig wie die eines ganz alten Mannes. »Wenn der Höhleneingang wirklich so tief hinabführt und bis unten hin zugespült ist, kann auch die Feuerwehr nichts ausrichten ohne einen Bagger. Graben mit Hacken und Schaufeln würde viel zu lange dauern.«

»Ja, da hast du völlig Recht«, nickte Monsieur Dumont, »aber es eilt doch so schrecklich. Wo um Himmels willen bekommen wir jetzt sofort einen Bagger her? Und immer noch stehen wir hier tatenlos herum und reden und reden.« Verzweifelt hob er die Arme in einer hilflosen Geste.

»Ich fahre, so rasch es der Weg zulässt, ins Dorf zurück und telefoniere alle erreichbaren Baufirmen hier in der Umgebung an«, schlug Monsieur Oscar vor. »Irgendeine muss doch einen Bagger hierherschicken können, nur« – er warf einen kritisch abschätzenden Blick auf den steinigen Pfad – »ich weiß nicht, ob ein schwerer Bagger tatsächlich bis hier herauffahren kann. Aber was bleibt uns denn anderes übrig als es zu versuchen? Ich muss vor allen Dingen auch den Bürgermeister davon unterrichten, was hier passiert ist. Wahrscheinlich war er nicht zu Hause, denn sonst wäre er längst auch hier.«

»Ganz gewiss, ja doch, Sie haben völlig Recht«, bestätigte Onkel Gérard. »Bitte versuchen Sie alles. Wir anderen gehen unterdessen so schnell wie möglich ins Dorf zurück um noch Spitzhacken und Schaufeln zu holen. Wahrscheinlich werden wir damit an manchen Stellen nachhelfen können, weil die breiten Baggergreifer wegen der vielen Felsen nicht überall gleich gut anpacken können. Ich würde es außerdem gar nicht fertig bringen ohne irgendetwas zu tun nur danebenzustehen und zuzuschauen.«

Monsieur Oscar war bereits unterwegs. Mehr rutschend als fahrend schlitterte er den glitschigen Pfad hinab auf die Brücke zu. Sie folgten in einer Reihe hintereinander. Jetzt brannte die Sonne wieder genauso wie in den vergangenen Tagen, und als Philippe den Blick vom steinigen Pfad hob um die Entfernung zur Brücke abzuschätzen, sah er flussaufwärts eine zerlumpte Gestalt unter einem Baum. Sie hockte auf einem Felsbrocken und hatte sich mit dem Rücken gegen den Stamm gelehnt. Die Finger der rechten Hand umklammerten den Hals einer Weinflasche und der gegen die Brust geneigte, von einer alten Schirmmütze bedeckte Kopf verriet, dass der Mann schlief. Das konnte hier in dieser menschenleeren Gegend und dazu noch am hellen Vormittag nur Monsieur Vinaigre sein.

Philippe blieb so plötzlich stehen, dass die hinter ihm herlaufende Suzanne mit einem erstaunten Aufschrei gegen ihn stieß. »Ich hab's.« Er hatte sich umgedreht und es den anderen zugerufen.

»Was hast du?«, fauchte Suzanne ihn an. »Geh weiter, wir dürfen keine Zeit verlieren.«

»Nein, wirklich, hört mich doch erst einmal an, mir ist eben eine Idee gekommen, die vielleicht besser ist als der Plan mit dem Bagger. Da drüben sitzt Vinaigre, der die ganze Gegend wie kein anderer kennt. Wir sollten ihn unbedingt fragen, ob er irgendetwas von einer Höhle hier in der Nähe weiß. Vielleicht ist irgendwo noch ein zweiter Eingang, den nur er auf seinen Streifzügen entdeckt hat.«

»Das stimmt.« Monsieur Malfait blickte nachdenklich zu Vinaigre hinüber. »Warum sollte eine so große und verzweigte Höhle wirklich nur diesen einen Zugang haben? Es ist doch viel wahrscheinlicher, dass es noch eine ganze Reihe ähnlicher Öffnungen wie die jetzt verschüttete gibt. Kommt, fragen wir Monsieur Vinaigre. Hoffentlich ist er noch nüchtern genug um unser Anliegen zu begreifen.«

Vinaigre schlief tatsächlich fest und ließ sich in seinem rauen Schnarchen nicht einmal dann stören, als sie alle durcheinander redend um ihn herumstanden.

Der alte Landstreicher bot einen bedauernswerten Anblick. Die ursprüngliche Farbe seiner groben Stiefel mit ihren schief getretenen Absätzen war längst nicht mehr feststellbar. Er hatte sie mit Kordel verschnürt und auch die alten, an vielen Stellen grob geflickten und unten ausgefransten Hosen mit Kordel bis zur halben Wadenhöhe hinauf umwickelt, so dass sie eine Art Gamaschen darstellten. Seine Jacke hätte jeder beliebigen Vogelscheuche zur Zierde gereicht. Natürlich hatte er sich schon längere Zeit nicht rasiert, denn wo in aller Welt und vor allem womit hätte er das tun können? Die langen, grauen Bartstoppeln erinnerten an das borstige Fell eines Wildschweins und er verdankte ihnen daher auch seinen zweiten Spitznamen »Sanglier«*, der keineswegs etwa böse gemeint war. In seiner bekannten Gutmütigkeit nahm er ihn auch keinem Menschen übel, im Gegenteil. Mit dem ihm eigenen Humor trug er ihn sogar mit einem gewissen Stolz.

* sanglier (französich) = Wildschwein

Monsieur Dumont legte ihm sanft seine Hand auf die Schulter. Er wollte den etwas menschenscheuen Einzelgänger nicht unnötig erschrecken, musste ihn dann aber doch ein wenig rütteln, bis er endlich die schweren Augenlider hob. Verwirrt blickte er von einem zum anderen. Dann rappelte er sich auf, riss seine zerknautschte Mütze vom strubbelhaarigen Schädel und knetete sie verlegen zwischen den Händen.

»Monsieur Vinaigre, wir brauchen Ihre Hilfe. Es ist dringend, ein Unglück, verstehen Sie?« Onkel Gérard hatte dem verdutzten Landstreicher nun beide Hände auf die Schultern gelegt und sah ihn fast beschwörend an.

»Ein Unglück? Und ich – was soll ich – bitte, wieso, ich habe doch…« Monsieur Vinaigre war so verdattert, dass er zu stottern begann und den Satz nicht zu Ende brachte. Das war etwas völlig Neues für ihn, der immer nur hier und da einmal ausgeholfen hatte, für Tage oder gar Wochen hintereinander allenfalls während der Erntezeit. Da war er dann einer unter vielen arbeitenden Helfern. Aber jetzt, jetzt stand er zum ersten Mal in seinem Leben im Mittelpunkt. Man brauchte ihn, er wurde anerkannt und seine Hilfe wurde erbeten – kurz: Er war plötzlich jemand, der alte Vinaigre, und das zu fühlen tat ihm wohl.

Die beiden Männer erklärten ihm so knapp wie nur möglich, was geschehen war. Wenn Monsieur Vinaigre auch ein wenig Rotwein getrunken hatte – es wäre wohl nichts geeigneter gewesen, den gutherzigen Alten rascher zu ernüchtern, als diese schreckliche Geschichte. Aus jedem Wort spürte er die Angst und Verzweiflung und suchte fieberhaft in seinem Gedächtnis. Aber von einem Höhleneingang, nein, davon wusste er nichts.

»Ein dreizehnjähriges Mädchen – und nur mit seinem Hund ganz allein in einer unterirdischen Höhle verirrt, wie furchtbar«, stammelte er und blickte hilflos um sich. »Wie gern will ich Ihnen bei der Suche helfen, aber« – traurig schüttelte er den Kopf – »nein, ich weiß leider auch nichts von irgendwelchen Höhleneingängen. Und wenn ich keinen kenne«, fügte er mit einem verzweifelten Schulterzucken hinzu, »dann weiß ich wirklich nicht, wer sonst etwas darüber wissen könnte.«

War auch diese letzte Hoffnung endgültig zunichte? Regis drängte sich zwischen den anderen nach vorn. Es war ihm eine Idee gekommen. Wenn der alte Vinaigre auch keinen offen zu Tage liegenden Höhleneingang wusste, so war es doch immerhin möglich, dass er irgendwelche Stellen entdeckt hatte, die für den Kundigen mehr oder weniger deutliche Hinweise auf eine nahe, aber verschüttete Höhle lieferten. Er kannte ja die seltsamen Entdeckungsgeschichten anderer Höhlen und es war doch auffällig, dass eigentlich bei keiner einzigen der Eingang freilag.

»Monsieur Vinaigre, erinnern Sie sich vielleicht an eine Stelle hier oben, eine Mulde oder so, in der es auch an sehr heißen Tagen im Sommer immer noch angenehm kühl bleibt?« Regis dachte an das »Blasloch«, das zur Entdeckung der Höhle Trois Frères geführt hatte. »Oder wo vielleicht nach längerem Regen eine Quelle erscheint, die sonst ausgetrocknet ist?«

Der alte Sanglier rieb sich das stachlige Kinn und trat vor verlegener Hilfsbereitschaft von einem Fuß auf den anderen. »Ja, ich weiß nicht – eine Quelle, sagst du?« Er schien scharf nachzudenken. »Doch, ja tatsächlich, solch eine Stelle kenne ich. Ich hab schon oft aus dieser Quelle getrunken, ihr Wasser ist eiskalt – und immer hab ich mich darüber geärgert, dass sie ausgerechnet an den heißesten Tagen, wo man doch am meisten unter Durst leidet, versiegte. Jetzt, wo du mich so direkt danach fragst, erinnere ich mich auch, dass es genau dort zwischen den Steinen in einer der vielen Geländemulden, wenn die Quelle nicht fließt, immer so angenehm kühl ist, genau wie du sagst. Ich habe oft dort gelegen, wenn es mir anderswo zu heiß war.«

»Wo ist diese Stelle?« Jetzt war es Suzanne, die Vinaigre an beiden Armen packte. »Schnell, Monsieur, führen Sie uns hin. Wir müssen laufen, so rasch wir nur können.« Sie drehte sich um und wollte, Vinaigre hinter sich herziehend, schon davoneilen.

»Aber wieso, was ist denn, was hat denn die Quelle, warum...« Wieder verhedderte sich Vinaigre mit den Worten. Er verstand das alles gar nicht! Was hatte denn sein sommerlicher Rastplatz mit dieser unglückseligen Geschichte zu tun?

Als Regis es ihm, seinem Vater und Onkel Henry erklärte, leuchteten seine müden Augen glücklich auf. Wenn er, auf den alle im Dorf – zugegebenermaßen oder nicht – doch ein wenig verächtlich herabschauten, mit seinem Wissen und durch seine Erfahrung dazu beitragen könnte, ein

Leben zu retten, und dazu auch noch das eines Kindes, dann hätte doch selbst sein ärmliches Dasein noch einen Sinn und Wert.

Plötzlich wurde er ganz zappelig. »Kommen Sie rasch, es ist etwa zwei bis drei Kilometer von hier, drüben auf der anderen Seite des Hanges.« Schon war er auf dem Felsenpfad und hastete den Berg hinan. Philippes Vater hielt ihn aber noch einmal an in seinem Übereifer ein Lebensretter zu werden.

»Einen Augenblick noch, Monsieur. Bitte erklären Sie doch Philippe etwas genauer, wie er vom Dorf aus zu dieser Stelle hinfinden kann. Er muss nämlich erst noch einmal dorthin laufen und Monsieur Oscar sowie dem Bürgermeister berichten, was inzwischen geschehen ist.«

Vinaigre drehte sich um und gab Philippe die erforderlichen Hinweise, was gar nicht einmal besonders schwierig war, weil der Junge sich auch ganz gut in diesem Gelände auskannte. Dann rannte Philippe los.

»Bring noch ein paar Werkzeuge mit«, rief sein Vater ihm nach, »zwei, drei Schaufeln und mindestens zwei Spitzhacken. Monsieur Oscar wird schon wissen, wo du sie herbekommen kannst. Schnall sie Jeremias auf den Rücken und komm uns, so rasch du kannst, nach. Überlass es jetzt Monsieur Oscar und dem Bürgermeister zu entscheiden, ob sie dennoch die Feuerwehr verständigen wollen.«

Philippe hatte zu Hause die Schaufeln und Hacken an Jeremias' Flanken festgeschnallt, dann eine Decke auf seinen Rücken gelegt und sich rasch draufgeschwungen. Mit einem aufmunternden Zungenschnalzen ließ sich das gutmütige Maultier willig in Trab setzen. Da Philippe vom Dorf aus eine Abkürzung einschlagen konnte, erreichte er die vom alten Vinaigre genau beschriebene Stelle nur wenig später als die anderen. Schon von weitem konnte er erkennen, dass sie sich zwischen Wacholder- und Ginsterbüschen auf dem Boden zu schaffen machten.

Ja, sie hatten wirklich alles genauso vorgefunden, wie es Vinaigre beschrieben hatte. Dass die Quelle ausgerechnet an diesem Tage sprudelte, verwunderte eigentlich niemand nach dem starken Gewitterregen der vergangenen Nacht. Ihr wirklich sehr kaltes Wasser floss übrigens nur ein paar Meter weit über ein kleines Stückchen Geröllhalde um dann sogleich wieder zwischen dem lockeren Kalksteinschutt zu versickern. Das Gelände fiel auf dieser Seite des Bergrückens steiler ab, auch wenn es hier keine emporragende Felswand gab. Vinaigre war schon mit Feuereifer dabei, Felsbrocken zur Seite zu wälzen an den Stellen, wo das Wasser aus dem Boden kam. Suzanne und Regis halfen ihm dabei, so gut sie konnten. Monsieur Malfait schob seinen starken Stock mit der stählernen Spitze wie ein Brecheisen unter loses Gestein, das überall aus dem Boden hervorlugte, und hebelte Brocken um Brocken hoch. Weiter brauchte man eigentlich nichts zu tun, denn den Hang hinab kollerten sie von allein.

Mit den Spitzhacken, die Philippe mitgebracht hatte, kamen sie jetzt freilich bedeutend rascher voran. Bereits der erste Schlag, den Onkel Gérard mit Wucht auf das Gestein oberhalb der Quelle niedersausen ließ, ließ sie aufhorchen. »Warten Sie mal.« Vinaigre nahm die zweite Hacke, stellte sich neben Monsieur Dumont und schlug ebenfalls so fest er nur konnte auf den Fels, dass die hellen Steinsplitter weit umherspritzten. »Hören Sie?« Wieder hatte es seltsam dumpf und nachhallend geklungen.

Alle sahen ihn jetzt voller Spannung an. »Dahinter muss ein größerer Hohlraum liegen, denn sonst klingt so ein Schlag auf Felsgestein viel heller.« Seine Augen begannen zu glänzen. »Gebe Gott, dass dies die gesuchte Höhle ist. Schnell, wir müssen einen Zugang freilegen.«

Nun gab es kein Halten mehr. Vinaigre schwang unermüdlich seine Spitzhacke und brach schwitzend Stein um Stein aus dem harten Boden. Onkel Gérard, der sich mit seinem Schwager bei dieser Schwerarbeit abwechselte, wunderte sich im Stillen, woher der Alte die Kräfte nahm. Endlich hat er einmal eine richtige Aufgabe, dachte er, das ist es, was ihn so beflügelt.

Plötzlich sprang Vinaigre zur Seite und riss die beiden Kinder mit sich. »Vorsicht«, schrie er ihnen zu, »der Hang gibt nach.« Wo er gerade eben noch mit seiner Hacke zugeschlagen hatte, bewegte sich der Boden nun ganz von selbst. Prasselnd und krachend brach eine hier offenbar nur dünne Gesteinsdecke in sich zusammen und verschüttete die Quelle unter sich. Ein paar größere Felsbrocken rollten mit donnerndem Getöse den Hang hinab. Bäckermeister Malfait und sein Schwager retteten sich geistesgegenwärtig durch ein paar gewaltige

Sätze zu dem Wacholderstrauch hinüber, an den Philippe sein Maultier gebunden hatte.

Jeremias spitzte die langen Ohren und zerrte mit ungestüm stampfenden Hufen an seinem Zügel. Philippe, der gerade dabei gewesen war die Schaufeln abzuschnallen, hielt ihm beruhigend die Hand auf die Nüstern und tätschelte ihm mit der anderen den Hals.

Mit wild klopfenden Herzen blickten alle erwartungsvoll auf die Einbruchstelle. Dort war jetzt eine etwa anderthalb Meter hohe und einen Meter breite Öffnung entstanden. Der gesuchte Eingang lag frei vor ihnen. Aber als Suzanne und Regis sofort hinlaufen wollten, hielt Vinaigre sie zurück.

»Nein, wartet noch, erst müssen wir feststellen, ob nichts mehr nachrutschen kann. Nur wenn keine Gefahr mehr besteht, dass einer von uns verschüttet wird, dürfen wir die Höhle betreten.«

Mit aller gebotenen Vorsicht näherten sich die drei Männer der Eingangsstelle und prüften gewissenhaft die Seitenwände, vor allem aber die Oberkante des Lochs auf ihre Festigkeit. Behutsam schaufelten sie lockeren Schutt und Erde zur Seite. Endlich war der neu entdeckte Höhleneingang so weit freigelegt und gesichert, dass sie es wagen konnten Schritt für Schritt in diese unbekannte Unterwelt einzudringen.

Der alte Vinaigre ließ es sich nicht nehmen mit Monsieur Oscars Lampe in beiden Händen voranzugehen. Schließlich – war dies nicht eigentlich »seine« Höhle, da doch kein Mensch ohne ihn jemals den Zugang so schnell entdeckt hätte?

Hinter ihm drängten Suzanne und Regis ungestüm nach.

Die starken Taschenlampen mit den frischen Batterien wurden eingeschaltet, so dass der Gang vor ihnen viel stärker in Helligkeit getaucht war, als Suzanne und Regis dies von ihren früheren Höhlenwanderungen her kannten. Den Schluss machten die beiden Väter, denn Philippe musste – da half nun kein noch so hartnäckiger Protest – vorerst draußen bleiben und auf Monsieur Oscar warten. Im Übrigen konnte ja immer noch etwas Unvorhergesehenes geschehen. Wenn etwa die Decke nachstürzen und den Eingang abermals, wie schon einmal vor Tausenden von Jahren, verschütten sollte, war es gut, wenn einer draußen blieb, der Hilfe herbeiholen konnte.

Recht bald schon erweiterte sich der hier leicht aufwärts führende Gang. Überraschenderweise fanden sie seinen Boden fast frei von Geröll und Schutt. Der Ursprung der Quelle erwies sich als ein nur recht bescheidenes Rinnsal, das ganz offensichtlich nicht mit dem unterirdischen Flusslauf zusammenhing, den die vier in »ihrer« Höhle durchwatet hatten. Aber irgendwie mussten diese unterirdischen Gänge ja schließlich doch zusammenhängen.

Onkel Gérard hatte kurz hinter dem Eingang zunächst mit seinem alten Kompass vorsichtshalber die Richtung festgestellt, in der ihr Gang weiterführte. Solange er sich nicht verzweigte, war ein Verirren zwar nicht möglich, sollten sie jedoch an eine Stelle kommen, wo er sich gabelte, war es schon sehr wichtig immer zu wissen, woher man kam und wohin man weiterging. Das Schicksal Isabelles stand ihnen nur zu deutlich vor Augen.

Die Verirrte nach dem Kompass zu suchen war freilich nicht möglich. Erstens konnte man aus Philippes Bericht beim besten Willen nicht entnehmen, in welche Himmelsrichtung sie sich irgendwo dort unten von den anderen entfernt hatte, und außerdem waren sie ja gezwungen dem Gang zu folgen und konnten ihre Wegrichtung nicht beliebig ändern. Sie mussten es eben mit Rufen versuchen. Wo eine Stimme hindurchdringt, da ist auch ein Weg.

Tropfsteine gab es hier seltsamerweise nicht. Von Zeit zu Zeit hielten sie kurz an um im Chor Isabelles Namen zu rufen, so laut sie nur konnten. Das Echo schallte schauerlich aus unbekannten Tiefen zurück. Aber eine Antwort, auf die sie so sehr hofften, erhielten sie nicht.

Isabelles Urzeit-Abenteuer

Wahrscheinlich war es die Kälte, die trotz der Nähe des Hundes aus den feuchten Felswänden mehr und mehr in Isabelle hineinzukriechen schien, die sie zum zweiten Mal wach werden ließ. Sie knipste die Lampe an, die sie immer noch fest in der Hand hielt, und rappelte sich frierend hoch. »Komm, Jaquin, versuchen wir's noch mal«, rief sie ihrem Gefährten zu. »Es hat ja keinen Zweck hier liegen zu bleiben. Ach, du lieber Himmel, hörst du, wie mein Magen knurrt?« Jaquin war diesmal sofort aufgesprungen. Vermutlich hatte ihm die Kälte ebenso zugesetzt. Isabelle strich sich mit einer fahrigen, mechanischen Bewegung die kurzen Haare aus der Stirn. »Wir gehen immer dem Wasserlauf nach – du weißt ja, irgendwo muss er doch schließlich heraus aus der Erde.«

Wenn sie mit Jaquin wie zu einem Menschen sprach, wirkte das irgendwie beruhigend auf sie selbst. Sie hatte dann weniger das bedrückende Gefühl in der Brust allein zu sein. Nein, es war schon das Beste, überhaupt nicht an diese verflixte Lage zu denken. Eine Panik, das wäre wohl das Schlimmste, was ihr hier unten passieren könnte, von Verletzungen einmal abgesehen. Tapfer schluckte Isabelle einmal kräftig und bildete sich wenigstens ein damit auch ihre Angst hinunterbefördert zu haben. Dann richtete sie sich mit einem betont forschen Ruck auf und wickelte Jaquins Leine fest um ihr linkes Handgelenk. »Komm jetzt!«

Anfangs ging es noch ziemlich mühelos. Doch dann fiel der Boden des schmalen Gangs immer mehr ab. Hin und wieder löste sich ein Stein unter Isabelles Füßen und kollerte in eine ungewisse, dunkle Tiefe vor ihnen. Ein stetig anschwellendes Rauschen schien anzukündigen, dass der Wasserlauf neben ihnen irgendwo als Wasserfall hinabstürzte, und so war es denn auch. Kein überwältigend großer Wasserfall, wenigstens was seine Breite betraf, denn wo das sprühende Wasser unten aufklatschte, das ließ sich nicht einmal mit dem immer noch weit leuchtenden Strahl der Taschenlampe ausmachen. An seiner Seite führte so etwas wie eine natürliche Treppe im Gestein hinab.

»Rutsch mir ja nicht aus, Jaquin«, überschrie Isabelle das Tosen des Wassers und packte den Hund vorsichtshalber am Halsband, zumal sie tief gebückt und seitwärts von Stein zu Stein über die steile Rampe hinabkletterte. Der feine Wasserstaub drang überall hindurch, und wäre der Abstieg nicht so mühsam gewesen, dann hätte Isabelle wohl noch mehr unter der Kälte zu leiden gehabt. Auch Jaquins Fell glänzte voller Wassertropfen, aber der konnte sich wenigstens hin und wieder einmal tüchtig trockenschütteln.

Isabelle musste derart höllisch aufpassen bei der halsbrecherischen Kletterei nicht abzurutschen, dass sie gar nicht darauf achtete, wie lange das nun eigentlich schon so ging. Auf jeden Fall brauchten sie erhebliche Zeit, bis der Boden endlich wieder flacher wurde. Hier unten, wo sich der Wasserfall in ein breites Felsenbecken ergoss, aus dem der unterirdische Bach nun wieder langsam weiterströmte, war das Getöse natürlich am lautesten. Isabelle hastete voran, so rasch es der mit Steinbrocken unterschiedlichster Größe übersäte Boden zuließ, Jaquin an der Leine hinter sich herziehend. Erst als das aus irgendeinem Grund – Isabelle konnte selbst nicht sagen, warum eigentlich – so beunruhigende Rauschen nicht mehr zu hören war, blieb sie dort, wo der Gang sich erneut zu einem Saal zu erweitern schien, endlich einmal stehen um zu verschnaufen. Suchend ließ sie den Strahl der Taschenlampe über Wände und Decke gleiten. Die

Stalaktiten hingen hier so weit herab, dass sie tief gebückt darunter hindurchkriechen und einen Ausgang suchen musste, denn am Wasser entlang ging es nun nicht weiter. Es war durch eine Öffnung in der Wand irgendwohin verschwunden.

Isabelle setzte sich auf einen dicken, säulenstumpfähnlichen Stalagmiten um ihre schmerzenden Knöchel zu reiben.

Was war das? Sie hatte sich so urplötzlich aufgerichtet, dass Jaquin, der neben ihrem harten Sitz hechelnd auf dem Boden lag, ebenfalls knurrend in die Höhe schreckte. Isabelle winkte ihm zu sich still zu verhalten. Angestrengt lauschend hatte sie ihren Kopf nach der rechten hinteren Ecke des Felsensaals gedreht. Ihr Herz pochte mit einem Mal derart ungestüm, dass sie meinte, man könne es wer weiß wie weit hören. Aber was sie tatsächlich hörte, das war ein ganz anderes Geräusch. Es klang fast wie das ächzende Fauchen eines alten, knarrenden Blasebalgs – nein, nicht nur eines einzigen, sondern gleich mehrerer durcheinander. »Hörst du, Jaquin? Komm, wir müssen unbedingt wissen, was das ist.«

Diesmal brauchte sie ihren Gefährten nicht zu ziehen. Die Nase am Boden, als verfolge er tatsächlich eine Spur, strebte der Hund auf die Stelle zu, von der die unerklärlichen Geräusche zu kommen schienen. Ja, da führte ein Gang weiter, ganz versteckt hinter bis zum Boden von der niedrigen Decke herabreichenden Stalaktiten, zwischen denen sich Isabelle gerade noch mit Mühe hindurchzwängen konnte. Aber schon bald wurde der Gang wieder höher, die Tropfsteine verschwanden und fast mit jedem Schritt schien es Isabelle, als würde das seltsame Blasen und Fauchen lauter. Im vorausḥuschenden Lichtkegel ihrer Taschenlampe konnte sie erkennen, dass der Gang weiter vorn eine scharfe Biegung machte, und direkt dahinter musste die Ursache der Geräusche sein.

Jetzt wurde es ihr doch ein wenig gruselig. Vor Erregung spürte sie überhaupt keine Kälte mehr. Wie zur Beruhigung packte sie mit ihrer freien Hand Jaquin, der sich vergebens damit abmühte, wenigstens eines seiner herabhängenden Schlappohren lauschend aufzustellen, wieder am Halsband und zog ihn eng an sich heran. So tasteten sie sich langsam voran, wie anschleichende Indianer jedes Geräusch sorgsam vermeidend. Endlich erreichten sie die scharfe Biegung und Isabelle lugte, die verräterische Taschenlampe hinter sich haltend, mit pochendem Herzen um die Felskante. Kein Zweifel, von hier kamen die rätselhaften Töne, doch zu sehen war in dieser Finsternis rein gar nichts.

Isabelles Hand zitterte nun doch ein wenig, als sie ihre Lampe nach vorn richtete und den Felsensaal, in den ihr Gang an dieser Stelle einmündete, auszuleuchten begann. Jetzt half eben keine Vorsicht mehr, schließlich mussten sie ja wissen, was da eigentlich los war. Sie fühlte deutlich, wie sich die Haare im Nacken ihres vierbeinigen Begleiters sträubten. »Was hast du, was ist denn da?«, wisperte sie ihm ins Ohr und ließ den Lichtstrahl suchend über den hier auffallend hoch mit schlüpfrigem Lehm bedeckten Boden gleiten.

Und dann erblickte sie etwas, das auch ihr eine Gänsehaut über den Rücken jagte. Beinahe hätte sie vor Entsetzen ihre Lampe fallen lassen. Nein, so etwas war doch nicht möglich! Jaquin begann trotz der lauten Fauchgeräusche hörbar zu knurren. »Um Himmels willen, sei still.« Isabelle packte seine Schnauze und hielt sie fest umklammert.

Der kluge Hund schien sie auch sofort richtig zu verstehen und verhielt sich jetzt mucksmäuschenstill. Isabelle wagte es jedoch nicht, was sie da vor sich sah, direkt anzuleuchten und richtete den Lichtstrahl ihrer Lampe gegen die Höhlendecke, so dass der gesamte, nicht allzu große Raum in einem dämmrigen Halbdunkel lag.

In den hohen Höhlenlehm, den irgendein Urzeitfluss angeschwemmt haben mochte, waren kreisrunde Mulden hineingegraben, wie dicht nebeneinander stehende Schüsseln, und aus jeder Mulde kam in regelmäßigen Abständen, begleitet von den weithin hörbaren Fauchgeräuschen, eine Atem-Dampfwolke. Zitternd reckte Isabelle den Hals noch etwas höher. Was immer auch Schreckliches das da drinnen sein mochte, sie musste es unbedingt wissen. In dem ungewissen Halbdunkel waren die undeutlichen Umrisse mächtiger Körper mit breiten Schädeln und langem, zotteligem Fell dennoch zu erkennen, die da zusammengerollt in allen nur denkbaren Stellungen lagen. Nein, daran war trotz der unzureichenden Beleuchtung gar kein Zweifel möglich: In diesen seltsamen Lehmbetten tief unter der Erdoberfläche schliefen Höhlenbären!

Isabelle wich zurück und zerrte den nun nicht weniger als sie selbst zitternden Jaquin hinter sich

her. Nur weg von hier, ganz egal wohin, aber so schnell es irgend ging. Der Lichtkegel ihrer Taschenlampe tastete die Wand neben den Bärennestern nach einem Ausgang ab und riss dabei überall noch weitere unverkennbare Spuren der mächtigen Tiere aus der Finsternis – als Beweis dafür, dass wirklich keine Täuschung möglich war. Isabelle erinnerte sich trotz ihrer Furcht, dass sie auch davon gelesen hatte, dass die Höhlenbären mit ihren langen, scharfen Krallen tiefe Rinnen in den Kalksteinwänden hinterließen, wenn sie sich nach dem Schlafen, in der Dunkelheit umhertastend, aufrappelten um ihre Höhle zu verlassen und draußen auf die Nahrungssuche zu gehen. Überall erblickte sie, während sie auf den Zehenspitzen mit Jaquin weiterhastete, diese hellen Kratzer auf der dunkleren Steinoberfläche – stets fünf nebeneinander.

Fast im rechten Winkel war ein niedriger Gang von ihrer ursprünglichen Richtung abgezweigt. Isabelle war in ihrem Schrecken überhaupt nicht auf den immerhin nahe liegenden Gedanken verfallen einfach umzukehren, zumal doch die Bären keinesfalls zwischen den eng stehenden Stalagmiten hindurchgekommen wären, die den Zugang weiter oben versperrten. Aber auch auf diesem neu entdeckten Weg konnte ihnen schwerlich ein Bär folgen. Isabelle musste die ersten Meter bäuchlings vorankriechen, bis sie sich endlich wieder ganz aufrichten konnte. So rasch es ihr möglich war, stolperte sie weiter – mindestens zehn Minuten lang und ohne auch nur ein einziges Mal anzuhalten.

Jaquin, dem genau wie ihr die Angst im Nacken saß, lief voran und zog derart stürmisch an der Leine, dass sie sich tief in Isabelles Handgelenk einschnitt. Aber sie spürte den Schmerz erst, als sie sich in einer kleinen Erweiterung des Gangs, in der er übrigens wie in einer Sackgasse zu enden schien, erschöpft auf einen Felsbrocken fallen ließ. Jaquin schmiegte sich dicht an sie. Nein, das so unheimliche Atemgeräusch der Höhlenbären war bis hierher nicht mehr zu hören, nur das wilde Pochen des eigenen Herzens.

»Nun reiß dich aber mal zusammen«, appellierte Isabelle an sich selbst und versuchte ihr letztes Abenteuer so sachlich es eben ging zu überdenken. Das konnte doch nicht wahr sein, was sie da mit eigenen Augen gesehen hatte: Höhlenbären, echte, leibhaftige Höhlenbären im zwanzigsten Jahrhundert. Die letzten von ihnen waren doch allerspätestens vor mehr als zehntausend Jahren ausgestorben. Oder sollte es wirklich denkbar sein, dass hier in der Tiefe der Erde Tiere der Vorzeit überlebt hatten? Schließlich waren sie und Jaquin ja recht lange steil hinabgestiegen und wussten überhaupt nicht mehr, in welchen Abgründen sie sich hier eigentlich befanden.

Wo hatte sie so etwas schon einmal gelesen? Urwelttiere, die unter der Erde bis in die Gegenwart überlebten? Isabelle grübelte, bis es ihr tatsächlich wieder einfiel: in einem Roman von Jules Verne. Da waren Forscher, so ein verschrobener Professor mit seinem Neffen, durch den Schlot eines erloschenen Vulkans in Island tief in die Erde hineingestiegen und hatten dort, erleuchtet von irgendwelchen elektrischen Vorgängen, an die sie sich beim besten Willen nicht mehr erinnern konnte, eine Urzeitlandschaft voller längst auf unserer Erde ausgestorbener Riesenfarne und auch Dinosaurier entdeckt, vor denen sie dann über ein wild tosendes Meer auf ihrem zerbrechlichen Floß flohen.

Isabelle sprang von ihrem harten, kalten Sitz auf. Wenn so etwas tatsächlich wahr sein kann, dann musste sie hier unten, so weit von allen Menschen und jeglicher Hilfe entfernt, möglicherweise noch mit anderen bösen Überraschungen rechnen. Erst jetzt, nachdem sie ein wenig verschnauft hatte, fiel es ihr voller Entsetzen ein: Du bist ja am Ende eines Weges, in einer Sackgasse – einer regelrechten Falle. Der Rückweg aber bringt dich und Jaquin unweigerlich den gefährlichen Riesentieren wieder näher. Drei volle Meter war so ein Kerl hoch, wenn er sich auf seinen Hinterbeinen aufrichtete, so hatte sie es in Regis' Buch gelesen, und einen Schädel hatte er, so groß wie ein Pferdeschädel, aber mit viel gefährlicheren Zähnen. Es schüttelte sie richtig, als sie an den Höhlenbärenschädel dachte, den sie ganz zu Anfang ihres Höhlenabenteuers entdeckt hatten. So lang waren die Eckzähne, dass die Cromagnon-Menschen Bärenunterkiefer als Hacken benutzen konnten.

Suchend blickte sich Isabelle in dem engen Raum um. »Jaquin, auf. Wir müssen hier raus, aber nicht den Weg zurück, hörst du?« Als ob er sie Wort für Wort verstanden hätte, sprang Jaquin auf und lief suchend alle Wände ab. Isabelle leuchtete in sämtliche Winkel, aber nirgends zeigte sich auch nur ein schmaler Spalt im festen Gestein.

Ein leises Jaulen Jaquins ließ sie ihre Suche abbrechen und erwartungsvoll zu ihm hineilen. Er scharrte an einem Haufen wirr übereinander liegender Steinbrocken und versuchte seine Nase förmlich in ihn hineinzubohren. Ob er da was entdeckt hat? Vielleicht spürt er mit seiner feuchten Hundenase auch den feinsten Luftzug, der möglicherweise aus einem weiterführenden Gang weht – wer weiß?

Isabelle ließ sich auf ihre Knie fallen und zerrte mit aller Kraft Stein für Stein zur Seite. Jaquin gebärdete sich ganz aufgeregt. Anscheinend war er sehr einverstanden mit dem, was Isabelle da unternahm. Plötzlich gerieten die restlichen Steine in Bewegung. Sie sackten förmlich in sich zusammen und kollerten dann mit lautem Getöse in die Tiefe. Dort, wo sie eben noch zuhauf gelegen hatten, gähnte jetzt eine fast kreisrunde, dunkle Öffnung im Boden. Isabelle leuchtete mit ihrer Lampe hinein. Die hinabgefallenen Steine lagen etwa anderthalb Meter unter ihr auf dem Boden eines niedrigen Gangs, der sozusagen eine Etage tiefer unter ihrem jetzigen weiterführte, schräg abwärts, wie sie später feststellen sollte. »Warte mal!« Isabelle schob den neugierig schnuppernden Jaquin etwas zur Seite und ließ sich dann rückwärts, die Beine voranbaumelnd, in die Öffnung hinab. Mit ihren Füßen tastete sie nach einem Halt, zerschrammte sich Kleider und Haut an Knien und Ellbogen ein wenig, stand aber zu guter Letzt, erleichtert aufatmend, wieder auf festem Felsboden. »Komm, Jaquin.« Sie streckte ihm ihre Arme entgegen, packte ihn an seinen Vorderbeinen und zog ihn zu sich hinab. Der Hund fiel ihr regelrecht um den Hals, landete auf ihren Schultern und drückte sie durch sein Gewicht unsanft auf den Boden. Beinahe hätte Isabelle lachen müssen, als sie sich wieder aufrappelte und den Kalkstaub aus ihren Hosen klopfte, während Jaquin sich schüttelte, als sei er ins Wasser gefallen. Aber der eigenartige Kloß, der seit der Entdeckung der Höhlenbären immer noch in ihrem Hals zu stecken schien, ließ nichts Rechtes aus dem Lachen werden.

Glücklicherweise wurde der Gang allmählich etwas höher oder, genauer gesagt, senkte sich seine Decke nicht im gleichen Maß wie der Boden, so dass Isabelle schließlich wieder aufrecht gehen konnte.

Es dauerte eine ganze Weile, bis die beiden wieder einen größeren Felsenraum erreichten, in den ihr Gang einmündete. Er war mit Gesteinstrümmern übersät, mit abgebrochenen, wirr durcheinander liegenden Stalaktiten und herabgestürzten Teilen der Decke, so dass es recht schwierig war darüber hinwegzuklettern. Wie konnten sie wohl in diesem Gewirr einen Ausgang finden? Isabelle leuchtete nach oben um die Höhe des Saals abzuschätzen und stellte dabei fest, dass es hier gewissermaßen mehrere Stockwerke von Felsengalerien übereinander gab, was alles nur noch schwieriger machte.

Wieder spürte sie diese lähmende Angst in sich aufsteigen bis in die Kehle, die ganz eng und trocken wurde. Wenn jetzt ein Höhlenbär ... Nein, nicht so etwas denken, das war zu grässlich. Aber wie sollte das alles noch enden? Wie würden sie jemals einen Ausgang finden aus diesem unterirdischen Labyrinth?

Isabelle kroch vorsichtig über eine schräg stehende Felsplatte, die vor Jahrtausenden einmal ein Teil der später eingestürzten Höhlendecke gewesen war, und fand endlich wieder ein Stückchen ebenen Bodens. Jaquin zog plötzlich heftig an der Leine, geradewegs auf eine niedrige Felsnische zu. »Was willst du denn da? Dort kann es doch nicht weitergehen.« Isabelle griff unwillig nach Jaquins Halsband um ihn zurückzuziehen. Dabei musste sie sich bücken, und als sie sich gerade wieder von der Nische abwenden wollte, streifte ihr Blick deren Decke. Wie erstarrt verharrte sie in ihrer unbequemen Haltung. Über die leicht gewellte Kalksteindecke zogen mehrere feuerrote Striche – zweifellos auch hier von Menschen gezogen. Voll richtete sie den Lichtstrahl ihrer Taschenlampe auf die Stelle, wo die Cromagnon-Maler vielleicht nur ihre Finger von anhaftender Farbe gereinigt hatten, möglicherweise aber auch irgendeine Angabe über die Entfernung oder Richtung zum Ausgang, einer Versammlungs- oder Kultstätte oder dergleichen machen wollten. Auf jeden Fall war eines ganz klar: Weit weg von einem Ausgang der Höhle konnten sie hier keinesfalls sein.

Diesmal klopfte Isabelles Herz vor Freude so ungestüm, zumal sie jetzt auch die Öffnung in der Felsenwand hinter der Nische entdeckte, die – so wolle Gott – zu dem Ausgang hinführte.

»Hier müssen wir weiter, Jaquin«, meinte sie triumphierend zu ihrem Begleiter gewandt. Plötzlich war alle Angst, jede Müdigkeit verflogen. Sie sprang auf und zog den Hund durch die schmale Passage.

Ja, es war ein Gang. Nicht gerade sehr eben, denn es ging streckenweise bergauf, dann wieder bergab mit vielen Biegungen dazwischen, aber dennoch kamen sie recht gut voran. Isabelles Freude und wieder erwachte Hoffnung sollten jedoch schon bald durch eine erschreckende Feststellung erheblich gedämpft werden. Ihre Lampe brannte immer schwächer. Sollte die Batterie allmählich verbraucht sein? Ein furchtbarer Gedanke, in dieser Einsamkeit auch noch ohne Licht im Dunkeln zu sein. »Wir müssen sparen, Jaquin.

Komm, ruhen wir uns erst mal eine Weile aus. So lange brauchen wir kein Licht und vielleicht erholt sich die Batterie auch wieder. Setz dich ganz nah zu mir.« Sie hockte sich auf den Boden, legte ihren Arm um Jaquins Hals und knipste die Lampe aus.

Wie lange sie so gesessen und im Dunkeln vor sich hin gestarrt hatte, das konnte sie später beim besten Willen nicht sagen. Jedenfalls glaubte sie zuerst ihre Augen hätten sich so an das Dunkel gewöhnt, dass es ihr nur noch wie eine ungewisse Dämmerung erschien. Doch dann erkannte sie, dass es tatsächlich ein ganz, ganz schwacher Lichtschein war, der vom Ende des Gangs vor ihnen ausging. Waren da nicht auch Geräusche, ganz entfernt zwar, aber in dieser Grabesstille deutlich vernehmbar – jetzt, so Isabelle selbst keinerlei Schrittgeräusche verursachte?

Sie beugte sich zu Jaquins Ohr hinab und flüsterte ihm zu sich ja völlig ruhig zu verhalten. Dann stand sie im Dunkeln auf, packte ihn so kurz wie nur möglich an der Leine und bewegte sich behutsam auf die ferne Licht- und Geräuschquelle zu. Sie hielt dabei den Arm mit der ausgeknipsten Lampe vor ihren Kopf um nicht unversehens damit anzustoßen. So kamen sie mit tastenden Schritten zwar nur langsam voran, aber es war schon bald kein Zweifel mehr möglich, dass es dort vorn heller wurde und irgendjemand seltsam fremdartig klingende Lieder zu singen oder zu summen schien.

Etwas Unnennbares hielt Isabelle trotz ihres inneren Jubels über die ersehnte baldige Befreiung aus Dunkelheit und Furcht davon ab zu rufen. Sie wollte, klüger geworden durch ihre Erfahrung mit den Höhlenbären, doch lieber zunächst einmal sehen, wer oder was sie dort erwartete.

Der Lichtschein musste von der Seite kommen und auf die wie ein etwas blind gewordener Spiegel wirkende Kalksteinwand direkt vor ihnen fallen. So vorsichtig wie nur irgend möglich pirschten die beiden sich an die scharfe Biegung des Gangs heran. Dort fanden sie sich unversehens vor einer Art enger und niedriger Fensteröffnung, durch die das Licht fiel.

Der merkwürdige Singsang war nun verstummt, aber dafür tönten jetzt nicht weniger fremdländisch anmutende Kehllaute an Isabelles Ohr. Erschrocken schob sie sich noch etwas näher an die fensterartige Öffnung und blickte hindurch.

Ihre Finger krallten sich so fest in den harten Fels, dass sie zu bluten begannen. Mit weit aufgerissenen Augen verfolgte Isabelle die Szene. Nein, sie brauchte Jaquin diesmal nicht die Schnauze zuzuhalten. Dem verging sogar das Knurren bei diesem Anblick, der sich ihnen bot und der ihnen beiden noch weit mehr Entsetzen einflößte als selbst die fürchterlichen Höhlenbären.

Eigentlich hätte Isabelle ja eher erfreut als erschreckt reagieren müssen, denn es waren tatsächlich Menschen, die sie da unter sich in einer weiten Felsenkammer erblickt hatte. Sicher, sie sahen etwas sonderbar aus mit ihren groben Fellschürzen, den bis weit über die Schultern hinabwallenden Haaren und nicht minder langen struppigen Bärten. Aber so, wie sie sich in ihrer Fantasie echte »Wilde« vorgestellt hatte, wirkten sie keinesfalls. Nach Gestalt und Gesicht eher wie sportlich durchtrainierte, muskulöse Männer unseres eigenen Jahrhunderts. Denn dass diese sechs oder acht Menschen hier Cromagnon-Steinzeitjäger waren, das wusste Isabelle auf den ersten Blick. Es wäre ja nach der Begegnung mit echten, lebenden Höhlenbären gewiss überraschender gewesen hier unten Menschen des zwanzigsten Jahrhunderts anzutreffen. Hatte sie nicht sogar ganz heimlich gehofft so tief unter der Erdoberfläche neben Eiszeittieren, die dort oben schon seit Jahrtausenden ausgestorben waren, auch echte Eiszeitmenschen zu finden? Musste sie nicht nach einer solchen Entdeckung, die vor ihr noch nie ein Forscher gemacht hatte, bekannt und berühmt werden? Mit atemloser Spannung, die an die Stelle ihrer anfänglich lähmenden Angst getreten war, als sie erkannte, wie menschlich diese vermeintlichen Wilden aussahen, schaute sie ihrem Tun und Treiben zu. Die Helligkeit, in die der gesamte Raum getaucht war, stammte von stark rußenden, blakenden und flackernden Lampen. Wie Tassen sahen sie aus, einige wie kleine Pfannen oder Kasserollen, in denen Tierfett mit Hilfe eines stinkenden Dochts aus Haaren, Moos oder Flechten verbrannt wurde. Sie standen auf vorspringenden Felsnasen überall verteilt und ein besonders würdig aussehender, bereits grauhaariger Mann, der mit weit gespreizten Beinen auf seinen Fersen hockte, hielt eine dieser Lampen in seiner linken Hand hoch über den Kopf. Er beleuchtete damit eine glatte Wandfläche, die er mit der anderen Hand prüfend betastete.

Isabelle vergaß nun vor lauter Neugierde alle

Scheu und schob sich noch ein wenig weiter an den Rand der Öffnung heran. Ja, der Alte schien tatsächlich feststellen zu wollen, ob die Wand feucht oder trocken war. Anscheinend war seine Probe zu seiner vollen Zufriedenheit ausgefallen, denn er ließ nun die Hand sinken, hob etwas vom Boden auf und begann damit an der Wand herumzukratzen.

Angestrengt versuchte Isabelle zu erkennen, was da vor sich ging. Aber es dauerte dann doch, wenigstens kam es ihr in ihrer Ungeduld so vor, einige Minuten, bis mehr und mehr zur Gewissheit wurde: Der Mann zeichnete die Umrisse eines Tieres an die ausgewählte, glatte und trockene Felswand. Immer klarer ergänzten sich die schwarzen Striche, die er zog, zu dem Bild eines Bisons, der in vollem Lauf dahergestürmt kam. Mit weit ausholenden Bewegungen markierte der Maler die unverkennbare hohe Schulterpartie des Wildrindes, seine aufgeblähten Nüstern und die bedrohlich gebogenen Hörner. Die Vorderbeine mit den fast zierlich anmutenden dunklen Hufen schienen den Boden gar nicht zu berühren. Was Isabelle am meisten verwunderte, war, dass der Künstler mit einer geradezu mechanischen Sicherheit zeichnete und seine Linien sozusagen auf die Felswand hinwarf ohne auch nur ein einziges Mal an irgendeiner Stelle nachträglich etwas verbessern zu müssen. Jeder Strich, Bogen oder Punkt saß sofort am richtigen Platz.

Ein zweiter, jüngerer Mann hockte schon die ganze Zeit neben dem Maler und zerrieb irgendetwas Hartes mit Hilfe eines glatten Steins auf einer leicht ausgehöhlten Steinplatte. Isabelle konnte das knirschende Geräusch, das diese Zerkleinerung begleitete, recht deutlich hören. Es schienen kleinere Steinbröckchen zu sein, aus denen der Mann ein Pulver bereitete.

Jetzt brachte ein anderer zwei steinerne Töpfe, ähnlich wie die Lampen geformt, herbei. Sie schienen etwas zu enthalten, das nun mit dem angeriebenen Steinpulver vermischt wurde. Ja, richtig: Isabelle erinnerte sich. Die Cromagnon-Maler kannten eigentlich nur zwei Farben, Schwarz und Rot, wobei dieses Rot recht unterschiedliche Tönungen erreichen konnte – bis hin zum Gelbbraun. Die schwarze Malfarbe stellten sie entweder aus Holzkohle oder, wie die Knirschgeräusche zu beweisen schienen, in diesem Fall aus Manganoxid her, einem Mineral. Die rote wurde aus Ocker bereitet, einer eisenhaltigen Tonerde. Zu feinem Pulver zerrieben, wurden diese Stoffe mit verschiedenen Flüssigkeiten, manchmal sogar mit dem Blut erlegter Tiere, angerührt – oder, wie sie es allem Anschein nach jetzt gerade erlebte, mit dem Fett der Jagdtiere.

Einer der jüngeren Begleiter des Malers verteilte die angerührten Farben nun auf Muschelschalen, die offenbar als Farbtöpfchen dienen sollten. Aber womit malte der Künstler nun eigentlich? Was benutzte er um seine Farben auf die dafür vorbereitete Wandfläche aufzutragen? Isabelle brauchte nicht lange auf eine Antwort zu warten. Der Alte hatte seine Arbeitsgeräte anscheinend sorgfältig vorbereitet und zurechtgelegt. Jedenfalls hielt er plötzlich einen Pinsel in der Hand, einen Stock, dessen Ende er in eine der Muschelfarbschalen hineintauchte. Da müssen wirklich Tierhaare unten dran befestigt sein, dachte Isabelle, genau wie bei meinen Malpinseln heute noch. An einem Stöckchen ohne Haare könnte ja niemals so viel Farbe hängen bleiben, dass man mehr als höchstens einen einzigen kurzen Strich damit ziehen könnte.

Der alte Maler jedoch schien munter draufloszupinseln. Mitunter nahm er sogar seine Finger zu Hilfe, wenn es galt einen besonders breiten Strich zu ziehen. Isabelle erinnerte sich wieder an die seltsamen farbigen Streifen, die sie schon ganz zu Anfang ihres unterirdischen Abenteuers an Wänden und Felsdecken gefunden hatte: Das war tatsächlich die einfachste Art und Weise, solche farbverschmierten Finger wieder sauber zu kriegen.

Die Nüstern, Augen und Hörner malte der Künstler mit tiefschwarzer Farbe. Ebenso auch die Hufe, die Umrisse der Beine, das struppige Fell des hochgewölbten Rückens und den langhaarigen Schwanz. Schwarz benutzte er auch um damit durch Schattierungen – etwa unten an der Rundung des Bauches – den Bison auch wirklichkeitsgetreu als Körper darzustellen. Je länger er an seinem Bild arbeitete, umso plastischer begann es aus der flachen Wandfläche hervorzutreten. Deutlich schienen sich die kräftigen Schenkel und die Wangenpartien des wild blickenden Bisons zu wölben. Beim Ausmalen der größeren Flächen des Tierkörpers nahm der Maler anscheinend ein Büschel weiches Moos oder ein Stück Fell zu Hilfe, mit dem er die Farbe gleichmäßig verteilen oder auch mehrere Lagen übereinander tupfen konnte, wo es darum ging, ganz allmählich Übergänge zwischen verschiedenen Farbtönen zu erreichen.

Bis jetzt hatten sich die Zuschauer andächtig still verhalten. Als nun aber der Grauhaarige, sein Gemälde nicht aus den Augen lassend, ein Stückchen rückwärts kroch, bis es die schräg ansteigende Höhlendecke erlaubte wieder aufrecht zu stehen, brachen sie in lärmenden Beifall aus. Mit den flachen Händen wild auf ihre nackten Oberschenkel klatschend, stießen sie heisere Rufe aus, während der Maler, nun hoch aufgerichtet, seinem Bild wie beschwörend beide Arme entgegenstreckte.

Es war unheimlich. Aber das Allerunheimlichste schien Isabelle doch zu sein, dass der gemalte Bison im flackernden Lichterschein der primitiven Fettlampen plötzlich zu einem seltsamen Leben erwachte. Rannte er nicht wirklich, dass die Steine unter seinen stampfenden Hufen aufspritzten? Kamen tatsächlich dampfende Atemwolken aus den geblähten Nüstern und bewegten sich nicht die Flanken vor Anstrengung hechelnd auf und ab?

Auf die Cormagnon-Jäger schien das so lebensecht gemalte Bild jedenfalls genauso zu wirken. Schreiend, als wollten sie den Bison im Laufen anfeuern, und mit ihren Armen heftig gestikulierend, sprangen sie auf. Doch dann kam irgendwie Ordnung in ihr Gebaren. Sie bildeten einen Kreis und tanzten, mit ihren Fersen den lehmigen Boden zertrampelnd und im gleichen Rhythmus markerschütternde Kriegs- oder Jagdgesänge brüllend, um den immer noch unbeweglich mit erhobenen Händen wie gebannt oder verzaubert dastehenden Meister. Plötzlich durchbrach er den Ring der Tanzenden, hob den Pinsel vom Boden auf, tauchte ihn in die Muschel mit der schwarzen Farbe und hockte sich wieder vor sein Werk.

Der Gesang verstummte. Die eben noch so ungestüm getanzt hatten, verharrten nun in regloser Stille. Isabelle wagte kaum noch zu atmen. Was geschah da Geheimnisvolles? Langsam hob der Alte den Pinsel bis zur Schulter des Bisons. Vom Schulterblatt aufwärts zog er einen langen, geraden Strich und deutete an seinem unteren Ende durch zwei schräge, kurze Striche eine Pfeilspitze an. Sie wies genau auf das Herz des mächtigen Tieres.

Von neuem erscholl der ohrenbetäubende Gesang, begannen die Männer zu tanzen. Einer schwang drohend einen kurzen Speer über seinem Kopf. Isabelle, die Jaquin noch immer fest am Halsband gepackt hielt, spürte, wie der Hund vor Angst zitterte. Er hatte sich so flach auf den kalten Boden geschmiegt, als wolle er in den harten Felsen hineinkriechen. Isabelle war nicht viel anders zu Mute. Unausdenkbar, was wohl geschähe, wenn die tobende Horde sie hier als Lauscherin bei ihrem geheiligten Tun entdecken würde. Sie zweifelte keine Sekunde lang, dass sie sich in einer Weihestätte, einer Art Tempel der Steinzeitmenschen befand, in dem soeben das feierliche Ritual eines Jagdzaubers vollzogen worden war. Das Tier, der Bison, der gejagt werden sollte, wurde zuvor beschworen. Man tötete durch den eingezeichneten Pfeil oder Speer, wie es Regis schon in der »Gemäldegalerie« erklärt hatte, symbolisch sein Bild in dem festen Glauben das echte Jagdtier dadurch umso leichter erlegen zu können.

Als das Singen und Tanzen von neuem begann, hatte sich Isabelle etwas tiefer in die fensterartige Nische zurückgezogen. Erschöpft lehnte sie sich mit dem Rücken gegen den rauen Fels ohne in ihrer Erregung seine Kälte zu spüren. Wie sollte das nun weitergehen? Ob man sie, falls sie sich zu erkennen gäbe, wohl freundlich aufnähme? Natürlich nicht hier, am »heiligen« Ort, sondern wenn sie den Jägern nach draußen folgte? Auch wenn sie sich nicht mit ihnen in ihrer kehligen Sprache verständigen konnte – immerhin waren es doch Menschen, die ganz genauso aussahen wie sie, wenn man einmal von ihren einfachen Fellkleidern absah. Selbst die fremdesten Menschen waren ihr denn doch willkommener nach allen bestandenen Abenteuern in dieser unterirdischen Einsamkeit als Höhlenbären.

Vorsichtig lugte sie wieder aus der hoch gelegenen Öffnung in den Felsenraum hinab. Es war nun nicht mehr so hell wie zuvor. Der Maler und seine beiden Helfer hatten inzwischen alle Geräte in eine Art Fellsack eingesammelt. Die Lampen auf den Felsvorsprüngen waren ausgelöscht. Nur zwei der Männer hatten jeweils eine brennende Lampe an sich genommen um auf dem Rückweg zu leuchten. Hintereinander verschwanden sie, diesmal ohne zu sprechen oder zu singen, in einer Öffnung der gegenüberliegenden Wand. Der Letzte trug außer einer Lampe den Speer. Als er an dem gemalten Bison vorbeischritt, bückte er sich unversehens zur Felsnische hinab. Die zuckende Flamme warf seinen hin und her huschenden Schatten übergroß an die Rückwand des Raums, als er jetzt, seinen Genossen verstohlen nachblickend, den Speer hob und die steinerne Spitze fest gegen die Flanke des Bisons stieß. Dann folgte er ohne sich noch einmal umzusehen den anderen.

Warum hatte er das getan – und warum durften seine Begleiter es nicht sehen? Isabelle blickte ratlos dem allmählich entschwindenden Lichtschein nach. Ob er dadurch vielleicht erzwingen wollte, dass er und kein anderer es sein würde, der dem morgen zu jagenden, lebenden Bison die tödliche Wunde beibringen würde? Wahrscheinlich war genau dies seine Absicht gewesen. Noch einmal sollte durch diesen symbolischen Todesstoß das Jagdglück beschworen werden – aber diesmal freilich für ihn ganz allein, zu seinem Jagdruhm.

Isabelle wartete noch eine Weile. Sie wollte, bevor sie mit Jaquin ihr sicheres Versteck verließ, ganz gewiss sein, dass keiner der Cromagnon-Menschen noch einmal zurückkam, vielleicht um irgendetwas Vergessenes zu holen. Dann erst knipste sie ihre Taschenlampe an. Die Batterie schien sich wieder etwas erholt zu haben, jedenfalls kam es ihr so vor, als leuchte die Lampe ein wenig heller als noch vorhin. Aber das konnte auch eine Täuschung sein.

»Auf, Jaquin, wir müssen hier raus. Komm, wir haben keine Wahl. Wenn ich nicht bald irgendetwas Essbares auftreibe, wird mir noch ganz schlecht vor Hunger.«

Es war gar nicht so einfach von ihrem Guckloch nach unten zu klettern. Glücklicherweise gab es da ein paar Felsvorsprünge, die immerhin ein wenig Halt für die Füße boten. Schließlich hatten sie es doch geschafft. Natürlich galt Isabelles Neugier – trotz des knurrenden Magens – zuerst dem gemalten Bison. Gespannt richtete sie ihre Lampe gegen die Wandnische. Ja, das war wirklich ein Meisterwerk. Sacht berührte sie mit der Spitze ihres Zeigefingers den aufgemalten schwarzen Pfeil. Die frische Farbe ließ sich noch verwischen und haftete an der Haut. Isabelle hob den Finger an ihre Nase und erkannte an dem leicht ranzigen Geruch, dass die Farbe tatsächlich mit Tierfett angerührt war. Ein richtiges Ölgemälde also.

Der Stein, an den ihr Fuß stieß, glitt ein Stück zur Seite. Als Isabelle nach ihm leuchtete, erkannte sie, dass es sich offenbar um eine kleine Schieferplatte handelte, in die irgendetwas eingeritzt zu sein schien. Erwartungsvoll bückte sie sich nieder und hob die Platte auf. Tatsächlich, da hatte jemand etwas draufgezeichnet. Nanu – war das nicht ebenfalls ein Bison, sogar der gleiche wie der an der Wand, jedenfalls genau in der gleichen Haltung? Isabelles Blick wanderte mit dem Lichtstrahl ihrer Taschenlampe zwischen der Ritzzeichnung auf der Schieferplatte und dem großen Gemälde hin und her. Jawohl, das war ein vollkommen getreues Abbild, was sie da in ihren Händen hielt. Aber nein, jetzt erinnerte sie sich wieder: kein Abbild, sondern ein Vorbild. Oft fertigten ja die Cromagnon-Jäger zunächst so eine kleine Skizze an, nach der später erst das große Bild gemalt wurde. An vielen Stellen hatte man solche steinzeitlichen »Skizzenblöcke« gefunden und die zugehörigen Gemälde erst nachträglich, vielleicht ganz woanders entdeckt. Solch einen Gemäldeentwurf hielt sie also jetzt in ihrer Hand. Sie steckte das Schieferstück in ihre Tasche, zusammen mit einem Restchen des Malstifts, mit dem der Alte zuerst den Umriss des Bisons an die Wand gezeichnet hatte. Er bestand aus der gleichen, nur erhärteten Mischung von Fett und Farbpulver.

Regis wird Augen machen, wenn er das sieht! Sie stellte sich vor, wie es wäre, wenn Suzanne, Philippe und Regis um sie herum ständen und atemlos ihrer Abenteuererzählung lauschten. Doch dann überfiel es sie trotz der Kälte siedend heiß: Ob ich sie überhaupt jemals wieder sehe? Wer weiß, ob es von hier unten, aus dieser längst versunkenen Welt, wo Höhlenbär, Bison und Cromagnon-Mensch noch in der Eiszeit leben, überhaupt einen Rückweg gibt?

Isabelle riss sich gewaltsam von diesen verzweifelten Gedanken los. Heftig zerrte sie an Jaquins Leine. Der Ärmste musste übrigens ebenfalls quälenden Hunger verspüren, denn er versuchte gerade die fetthaltige Farbe von der bemalten Wand zu lecken.

Der aus dem Felsensaal weiterführende Gang, in dem die Cromagnon-Menschen verschwunden waren, war ziemlich eben und auffallend frei von Geröll. Wahrscheinlich wird er so oft begangen, dachte Isabelle, dass die Jäger ihn im Lauf der Zeit freigeräumt haben. So kamen sie ungehindert rasch voran und nach etwa einer halben Stunde hatte Isabelle plötzlich den Eindruck, als erhelle ganz weit vor ihr ein schwacher Lichtschein den Gang. Augenblicklich knipste sie ihre Taschenlampe aus. Ja, es stimmte. Das da vorn schien wahrhaftig Tageslicht zu sein – endlich wieder einmal Tageslicht. Aber hörte sie nicht auch Stimmen? Auf jeden Fall galt es jetzt äußerst vorsichtig zu sein. Eine vorzeitige Entdeckung konnte alles verderben, von ihren Gefahren einmal ganz abgesehen.

Isabelle fasste Jaquin doch lieber wieder am Halsband. Sie musste sich sowieso ein wenig bücken, nicht, weil etwa der Gang niedriger wurde, im Gegenteil: Er schien überhaupt keine Decke mehr zu haben, wenigstens keine sichtbare, sondern in einen hochreichenden Felsspalt übergegangen zu sein. Aber die Lehmschicht seines Bodens wurde allmählich höher, und da sie zudem auch noch feucht und glitschig vom herabtropfenden Wasser war, kamen sie jetzt etwas mühsamer voran.

Isabelle brauchte nun wirklich keine Taschenlampe mehr, die nach der kurzen Erholung sowieso bald zu verlöschen schien. Das dämmrige, etwas milchige Licht vor ihr ließ sie die Umrisse von Wandvorsprüngen oder auch Stalaktiten gerade eben noch erkennen. Sie bemerkte auch, dass der Felsspalt sich immer mehr erweiterte und dass von den Seiten her noch andere Gänge hier zu enden schienen.

Und dann stand sie endlich mit heftig klopfendem Herzen, die linke Hand mahnend auf Jaquins Schnauze gelegt, hinter einem etwa drei Meter hohen Steinblock, der wie eine schützende Mauer den Zugang des Felsspalts versperrte – bis auf einen engen Durchschlupf an der einen Seite. Das Licht, das sie schon von weitem gesehen hatte, fiel hauptsächlich von oben durch den Spalt in den Höhlengang, von einem trüben, wolkenverhangenen Himmel. Deutlich konnte Isabelle zwischen den Stimmen von Erwachsenen auch die von Kindern unterscheiden. Ganz, ganz vorsichtig versuchte sie um die Felskante herumzulugen. Es war ein hoher Abri. Sein weit ausladendes Felsendach wölbte sich schützend über den sicheren, weil hoch über einem Flusstal gelegenen Unterschlupf der Cromagnon-Menschen.

Isabelle wunderte sich nach alledem, was vorangegangen war, nicht einmal mehr über die Landschaft, die sie von hier aus durch den Abri wie durch ein weit offenes Tor überblicken konnte: Schneebedeckte Berge im Hintergrund, den Pyrenäen nicht unähnlich, davor dehnte sich eine tundraartige Ebene mit dürftigem Gebüsch und Zwergbirken am Ufer eines Flusslaufs. Eine Eiszeitlandschaft, wie sie in ihrem Geschichtsbuch abgebildet war.

Isabelle drängte sich so dicht an den Felsen, dass sie förmlich daran zu kleben schien. Hinter sich drückte sie Jaquin mit der flachen Hand zu Boden. Er schien dies sofort verstanden zu haben und legte sich hin. Im tiefen Schatten des Steinkolosses waren die beiden jetzt so gut wie unsichtbar. Dafür sah Isabelle selbst aber umso mehr. Eine ganze Großfamilie schien unter diesem Abri zu hausen. In seiner Mitte brannte hell lodernd ein Feuer auf einer sorgsam mit Steinen umgrenzten Feuerstelle.

An einem Holzspieß, der über zwei in den Boden gerammten gegabelten Ästen lag, wurde irgendetwas gebraten. Eine junge Frau hockte dicht daneben und drehte diesen Spieß ununterbrochen. Der Rauch des Feuers zog hinauf zur Felsendecke und entwich dann als dünne, graue Fahne nach draußen. Auch zwei ältere Frauen saßen dicht am Feuer. Sie schienen Felle mit starken, aus Fischgräten oder auch den Rippen kleinerer Tiere hergestellten Knochennadeln zusammenzunähen. Sie benutzten dazu schmale Sehnen von erlegten Tieren und unterhielten sich in einer für Isabelle völlig unverständlichen Sprache. Zwei andere Frauen knieten über einem flach auf dem Boden ausgebreiteten, offenbar gerade erst von einem erjagten Büffel oder Auerochsen abgezogenen Fell und schabten eifrig die noch anhaftenden Fleischfetzen mit Hilfe flacher, aber scharfkantiger Steinwerkzeuge herunter. Wie die anderen auch waren sie mit Fellen bekleidet, trugen aber trotz der Kälte keinerlei Schuhwerk.

Jetzt kamen auch einige schon größere Kinder mit Armen voll dürren Reisigs von draußen herein und schichteten es an der Wand unweit des Feuers auf. Kleinere Kinder hockten im Kreis um einen älteren Mann, der mit aller Kraft Feuersteinknollen gegen einen rundlichen Felsbrocken schlug, der ihm offenbar als eine Art Amboss diente. Es dauerte verblüffenderweise gar nicht lange, bis solch ein unförmiger Feuersteinknollen die Gestalt eines Beils annahm, während ununterbrochen schmale Feuersteinschuppen von ihm absplitterten. Um eine messerscharfe Schneide zu erhalten drückte der Alte zu guter Letzt vorsichtig mit einem Knochen- oder auch Geweihstück von beiden Seiten her kleinere Steinschüppchen ab. Dann hielt er das neue Werkzeug prüfend in die Höhe um es von allen Seiten betrachten zu können, während die kleine Schar seiner Bewunderer Beifall zu schnattern schien. Aber plötzlich sprangen sie auf und stürzten laut durcheinander rufend nach draußen, als wollten sie irgendjemanden begrüßen. Erwartungsvoll schob Isabelle ihren Kopf noch etwas weiter hinter der verbergenden Steinkante hervor. Da kamen zwei Männer mit weit ausholenden Schritten, die an einer dicken Holzstange über ihren Schultern einen erlegten Hirsch trugen. Sie hatten ihm die Füße zusammengebunden und keuchten hörbar unter der schweren, baumelnden Last. Ein dritter Mann, der die Speere der Jäger trug, kam hinterher. Sie wurden offensichtlich mit großer Freude begrüßt, zumindest vermeinte Isabelle Freude aus dem unverständlichen Durcheinanderschreien herauszuhören.

Einer der Männer durchtrennte die Sehnen, mit denen die Füße des Hirschs zusammengebunden waren, mit einem kräftigen Schnitt seines Feuersteinmessers. Der erlegte Hirsch plumpste zu Boden. Der Mann mit dem Messer kniete sich über ihn und begann damit, ihn kunstgerecht auszuweiden. Alle halfen beim Abziehen des Fells, selbst die Kleinen suchten einen Zipfel zu erhaschen um mit daran ziehen zu können. Auch der alte Steinschmied war von seinem Platz hinter dem Amboss aufgestanden und herzugetreten um die Jagdbeute fachmännisch zu begutachten.

Isabelle sah mit Herzklopfen, dass alle mit dem toten Hirsch vollauf beschäftigt waren. Kein Mensch achtete auf den inzwischen verführerisch duftenden Spießbraten, der ihr das Wasser im Mund zusammenlaufen ließ. Das Feuer war so weit heruntergebrannt, dass man ihn schon für eine kurze Weile sich selbst überlassen konnte ohne ihn ständig drehen zu müssen. Sollte sie es wagen? Es waren nur wenige Schritte von ihrem sicheren Versteck aus bis zum Feuer und direkt vor ihr lag ein Messer auf dem Boden. Der Alte musste es, kurz bevor sie den Abri erreichte, gerade erst angefertigt haben. Furcht und Hunger fochten einen schweren Kampf, aber am Ende siegte doch der Hunger.

»Jaquin, du bleibst hier liegen und rührst dich nicht vom Fleck«, flüsterte sie dem Hund zu, der sich, vom Bratenduft angeregt, ununterbrochen das Maul leckte. Noch einmal drückte ihn Isabelle fest gegen den Boden. Dann war sie aber auch schon vor dem Felsen, raffte im Lauf das Messer vom Boden an sich, stürzte auf den Braten zu und schnitt ein großes Stück Fleisch ab. Wäre das Feuer nicht so zusammengefallen, hätte sie sich unweigerlich verbrannt. So aber schien alles gut zu gehen und ganz nach Wunsch zu verlaufen. Sie war bereits wieder vor dem großen Felsen. Noch zwei Schritte, und keiner der immer noch gestikulierend um den Hirsch versammelten Cromagnon-Menschen hätte etwas gemerkt – da passierte es.

Isabelle hatte in ihrer Hast und Angst doch noch entdeckt zu werden, nicht auf den Boden geschaut und trat im letzten Augenblick auf einen dürren Ast, der mit lautem Knacken unter ihrem Fuß zerbrach.

Der alte Steinschmied schien das verräterische Geräusch als Erster gehört zu haben. Er fuhr herum und stieß vor Überraschung einen unter dem hohen Felsüberhang widerhallenden, schrillen Schrei aus. Jählings verstummten die anderen und wendeten die Köpfe nach der Richtung, in die des Alten ausgestreckter Arm wies.

Isabelle war vor Schreck wie gelähmt. Erst als die Männer herumfuhren und auf sie losstürzten, gehorchten ihre Beine wieder. Sie schoss förmlich durch den engen Zugang in den Felsenspalt, schrie, da ja nun ihre Anwesenheit doch verraten war, Jaquin zu ihr zu folgen, so schnell er könne, und hastete, beide Arme schützend vor sich ausstreckend, in den dämmrigen Gang zurück.

Sie achtete nicht darauf, welche Richtung sie einschlug und ob dies wieder jener Gang war, der zu dem gemalten Bison führte. Das alles schien jetzt, wo unmittelbare Gefahr drohte, gänzlich nebensächlich. Nur fort von den laut schreienden Männern, die zwar etwas länger gebraucht hatten um sich durch den engen Spalt hindurchzuzwängen, nun aber doch aufzuholen schienen.

Einer von ihnen musste aus dem Feuer einen noch glimmenden Ast herausgerissen und als Fackel mitgenommen haben. Durch das wilde Hin- und Herschwingen war er anscheinend wieder mit heller Flamme aufgelodert. Der Schein genügte gerade eben noch um den Felsbrocken, die hier wieder überall verstreut herumlagen, ausweichen zu können. Nein, der alte Gang konnte das nicht sein, der war längst nicht so breit gewesen.

Isabelles Haare sträubten sich vor Entsetzen, als das Schreien immer stärker wurde. Die Verfolger mussten schon kurz hinter ihr sein und verzweifelt hielt sie Ausschau nach einem engen Spalt, durch den sie sich in Sicherheit bringen könnte, weil er für die breitschultrigen Männer ein unüberwindliches Hindernis gewesen wäre. Aber die Höhle schien eher noch breiter zu werden. Isabelle vernahm hinter sich das wütende Gebell des treuen Jaquin, der sich mutig ihren Verfolgern entgegenstellte.

Als sie sich, ohne dabei ihren Lauf zu verlangsamen, umdrehte, blickte sie in ein bärtiges Gesicht. Sie hörte noch ihren eigenen Schrei, als sie die derben Hände auf ihren Schultern spürte, die sie packten und zurückrissen.

Eine glückliche Wende

Onkel Gérard hatte Philippe noch einmal aufmunternd zugewunken, bevor er sich umdrehte und gebückt den anderen durch das gähnende Loch in den neu entdeckten Höhlengang folgte. Voller Enttäuschung darüber, dass ausgerechnet er, der sich als der Älteste an Isabelles Schicksal am meisten schuldig fühlte, nicht mithelfen durfte bei der Suche, hatte sich Philippe neben Jeremias ins dürftige Gras gesetzt.

Aber es sollte nicht lange dauern, da sprang er schon wieder in die Höhe. Hoch oben auf dem Kamm des Hangs, der die Sicht zum Dorf verwehrte, hatte sich irgendetwas bewegt. Philippe konnte auch ohne Fernglas erkennen, dass das Monsieur Oscar war. Sein Fahrrad hatte er diesmal allerdings nicht mit dabei.

Das Gelände war ja auch nicht sehr geeignet zum Radfahren, erst recht nicht nach diesem alles aufweichenden Regen in der vergangenen Nacht. Aber dafür brachte er etwas anderes mit.

Als der Dorfpolizist, behände von Stein zu Stein springend, rasch näher kam, sah der Junge, dass er einen großen Hund an einer Leine mitführte. Wie gut, dass er sich hier so auskennt, dachte Philippe. Ein anderer hatte die Stelle allein nach meiner Beschreibung wohl kaum derart rasch gefunden. Schließlich hatte er ihm, als er Jeremias und die Werkzeuge im Dorf holte, nur in aller Eile knapp erklären können, wohin er nach seinem Bericht mit Bürgermeister Rouet kommen sollte.

»Philippe.« Monsieur Oscar war nun doch ein wenig außer Atem. »Wo sind die anderen? Habt ihr eine Spur gefunden? Der Bürgermeister war nicht zu Hause, aber ich habe mir seinen Hund ausgeliehen. Du weißt ja: Tintin ist ein tüchtiger

Spurensucher. Das hat er erst im vorigen Herbst auf der Jagd wieder bewiesen.«

»Eine prima Idee, Monsieur Oscar.« Philippe strahlte. »Komisch, dass keiner von uns anderen an einen Jagdhund oder Polizeihund gedacht hat. Der findet Jaquins Spur ganz bestimmt.«

»Aber wo sind die anderen denn?« Monsieur Oscar blickte sich suchend um und entdeckte dabei den freigelegten Höhleneingang. »Sag nur…« Seine Augen wurden auf einmal ganz groß und rund.

»Ja, den Gang haben wir entdeckt, nachdem uns der alte Vinaigre hierher geführt hatte.«

»Vinaigre.« Monsieur Oscar schlug sich mit der flachen Hand klatschend gegen die Stirn und verschob dabei seine Dienstmütze. »Natürlich, an den hätte man gleich denken sollen. Der kennt doch in der ganzen Umgebung jeden Felsbrocken und Wacholderbusch. Erzähl mal, aber bitte kurz.«

Philippe berichtete ihm so schnell es eben ging, was inzwischen geschehen war.

»Da muss ich sofort hinterher.« Monsieur Oscar zerrte an Tintins Leine. »Komm, die werden uns bei ihrer Suche brauchen können, deine Nase ganz besonders. Hier, schnuppre mal.« Er drückte den Kopf des Hundes gegen einen mächtigen Stiefelsohlenabdruck im Boden.

»Das war Monsieur Vinaigre, der hat die größten Füße«, erklärte Philippe.

»Gut so, dann kann Tintin die Spur aufnehmen. Los jetzt, und du bleibst bitte hier, Philippe, und rührst dich möglichst nicht vom Fleck.«

»Ja, ich weiß schon, wegen der Einbruchgefahr

muss wenigstens einer draußen bleiben«, meinte Philippe traurig.

»Nicht nur deshalb.« Monsieur Oscar hatte sich, obwohl ihn der Hund ungestüm nach dem Gang hinzog, noch einmal umgedreht. »Der Bürgermeister kommt gewiss sofort hierher nach, wenn er zu Hause meinen Bericht vorfindet. Möglicherweise hat er dann auch schon die Feuerwehr alarmiert und dann muss ja jemand hier sein, der den Leuten alles erklärt. Also: Kopf hoch und drück uns allen die Daumen.«

Wieder war Philippe allein. Nein, er durfte gar nicht daran denken, wie man Isabelles Eltern die schreckliche Nachricht beibringen würde. Aber vielleicht ging alles doch noch gut aus, jetzt, wo Monsieur Oscar an den Hund gedacht hatte. Tintin war weithin als ein wahres Nasenwunder bekannt. Kilometerweit konnte er einem weidwund geschossenen Reh oder Hirsch folgen um das Tier dann doch noch zu stellen oder aufzufinden, wenn es bereits tot war. Wenn der einmal eine Spur in der Nase hatte, dann verlor er sie niemals mehr.

Monsieur Oscar konnte dem wild voranstürmenden Jagdhund kaum folgen. Er stolperte keuchend hinter ihm her. Glücklicherweise hatte er noch eine zusätzliche Taschenlampe eingesteckt, die er nun in seiner freien Hand hielt um den Weg vor ihnen auszuleuchten. Es konnte bei diesem Marschtempo nicht lange dauern, bis er die anderen erreichte. Schon von weitem hatte er ihr Rufen gehört.

Als er sie dann endlich eingeholt hatte, waren sie sehr überrascht ihn in Begleitung eines Hundes zu

sehen. Natürlich kannten alle Tintin und er kannte sie, sogar Monsieur Vinaigre.

»Bis jetzt sind wir nur dem Gang gefolgt«, meinte Monsieur Malfait erklärend. »Irgendeine Abzweigung oder Kreuzung gab es noch nicht – bis hierhin.« Er deutete nach vorn, wo sich der Gang erweiterte und das schmale Wasserrinnsal irgendwo zwischen herumliegenden Steinen zu versickern schien.

Dort hingen auch wieder mächtige Stalaktiten von der Decke, die vor Nässe glitzerten. Es war nicht ohne weiteres auszumachen, in welcher Richtung es weiterging. Möglicherweise sogar nach mehreren? Monsieur Vinaigre kroch um die dicken Tropfsteinsäulen herum und leuchtete mit dem starken Scheinwerfer alle Ecken aus. Suzanne und Regis hatten allerdings als erste Erfolg bei der Suche.

»Hier muss es weitergehen, kommt hierher.« Suzannes Stimme schallte dumpf hinter einem klitschnassen Stalaktiten hervor. »Ich glaube, da geht's in einen großen Felsensaal.«

Sie zwängten sich einer hinter dem anderen durch den schmalen Spalt, den Suzanne hinter dem Stalaktiten entdeckt hatte. Nein, ein großer Saal war das nicht, nur ein runder Felsenraum, in den von ihnen aus gesehen rechts ein anderer Gang einmündete. Aber da blieb Suzanne plötzlich wie vom Donner gerührt stehen. »Da«, stieß sie mit vor Erregung heiserer Stimme hervor, »da seht mal, was ich hier gefunden habe.« Mit ausgestrecktem Arm deutete sie in die Mitte des Raums und auf den Boden.

Eine Feuerstelle, ganz ohne Zweifel. Aber ebenso gewiss hatte sich erst vor kurzem jemand daran zu schaffen gemacht. Deutlich konnten sie, als nun alle im Kreis darum herumstanden, im starken Lichtkegel von Vinaigres Lampe erkennen, dass diese Aschenreste durcheinander gewühlt waren. Wo die Aschenreste des Steinzeitfeuers nämlich noch unberührt lagen, zeigten sie nicht eine tief schwarze Färbung, sondern waren irgendwie weißgrau überpudert. Suzanne erschien dieses Grau allerdings mehr wie ein Zuckerguss oder eine Glasur. Wahrscheinlich, dachte sie, hängt das mit dem kalkhaltigen Wasser zusammen, das hier und dort von der Decke tropft und versprüht. Aber wer hatte sich wohl an dieser uralten Asche zu schaffen gemacht?

Suzannes Herz begann auf einmal wild zu hämmern. »Ob Isabelle hier vorbeigekommen ist?« Sie hatte sich vor die Feuerstelle gehockt und blickte fragend zu den Männern auf.

»Sicher, wer denn sonst? Hier ist doch außer uns seit Jahrtausenden kein Mensch mehr gewesen«, stieß Regis aufgeregt hervor. »Und den neu entdeckten Eingang gab es ja bis vor einer knappen Stunde noch gar nicht.«

»Ja, da hast du Recht.« Der alte Vinaigre ließ den Lichtstrahl seiner Lampe langsam über Boden und Wände gleiten. Als er das von Isabelle geöffnete Steingrab streifte und die blendend weißen Zähne des Totenschädels unvermutet aus dem Dunkel aufblitzten, sprang Regis, der neben Suzanne gehockt hatte, mit einem Satz in die Höhe. »Ein Steinzeitgrab – hier.« Er stürzte auf die Steinsetzung zu. »Seht ihr die rechteckigen Augenhöhlen? Das ist ein sicheres Erkennungsmerkmal des Cromagnon-Menschen. Da, die flachen Steine über dem Kopf sind angehoben worden. Nun ist es ganz sicher, dass Isabelle auch hier war.«

Jetzt kamen auch die anderen näher heran und betrachteten Regis' Fund mit einem leichten Gruseln.

»Die arme Isabelle«, stammelte Suzanne mitfühlend. »Wie muss sie sich erschrocken haben, dazu noch ganz allein hier unten.«

»Nein, ganz allein nicht«, verbesserte sie Regis. »Immerhin hat sie doch unseren Jaquin dabei.«

»Oh, Jaquin, natürlich!« Monsieur Oscar wandte sich zu Tintin um, der immer noch an den Resten der Feuerstelle schnupperte. »Tintin, such.«

Aber wie in aller Welt sollte man dem Hund beibringen, wonach er zu suchen hatte? Monsieur

Oscar hoffte, dass er die Spur des anderen Hundes unter all den längst vertrauten Menschenspuren als besonders aufregend empfinden musste. Und so war es denn wohl auch. Unvermutet begann der Jagdhund, als ihn Monsieur Oscar in allen Winkeln herumführte, zu jaulen und peitschend mit seinem Schwanz zu wedeln. Rund um den ganzen Felsenraum zog er den Gendarmen hinter sich her. Vor der weiten Gangöffnung, die sie bislang noch gar nicht beachtet hatten, gebärdete er sich, die Nase dicht am Boden, besonders ungestüm.

»Hier müssen Isabelle und Jaquin hergegangen sein.« Monsieur Oscar bückte sich zu Tintin hinab. »Monsieur Vinaigre, leuchten Sie doch bitte einmal, vielleicht finden wir noch irgendeine andere Spur von ihnen.«

Vinaigre, Monsieur Malfait und Suzannes Vater eilten herbei. Schweigend untersuchten die Männer jeden Quadratzentimeter des Eingangs zu dem Felsenraum – Boden und Wände. Irgendwo musste doch ein zertretenes Steinchen oder eine Wischspur auf dem Kalkstein der Wände zu entdecken sein.

Suzanne und Regis waren unterdessen auf eigene Faust Spuren suchen gegangen und hatten dabei einen zweiten Ausgang gefunden, eigentlich ja einen dritten, wenn man den Gang, durch den sie gekommen waren, mitzählte. Aber der war so versteckt, dass Isabelle ganz sicher nicht bemerkt hatte, wenn sie wirklich von dort drüben gekommen war, wo die Männer immer noch suchten.

»Schau mal.« Regis leuchtete vor sich auf den Boden. »Was sind das für schwarze Flecken da?«

Suzanne reckte ihren Hals vor und blickte ihm über die Schulter. »Wo denn? – Ach da.« Ganz dicht hielt sie ihre Lampe an die rätselhafte Spur. »Hurra – hierher. Da sind sie weitergelaufen.«

Die Männer kamen mit Tintin quer durch den Felsenraum herbeigestürzt.

»Wieso, woher willst du denn wissen, dass sie nicht umgekehrt von hier kamen und dann dort drüben nach der anderen Richtung weitergingen?« Fragend sah sie ihr Vater an.

»Aber das ist doch ganz klar.« Triumphierend wies Suzanne auf die eigenartigen dunklen Flecken, an denen Tintin aufgeregt schnüffelte. »Das hier sind die Spuren von Jaquins Pfoten. Er muss vorher damit in der Asche gewühlt haben – also können die beiden nicht aus diesem Gang hier gekommen sein. Sie haben die Feuerstelle von dort drüben her erreicht, wo ihr eben gesucht habt, und sind dann in diese Richtung weitergelaufen.«

Monsieur Oscar blickte sie erstaunt an. »Du solltest später zur Polizei gehen«, meinte er anerkennend, »du bist ja die geborene Kriminalistin.« Er zog den Kompass aus der Tasche und legte ihn auf den flachen Boden. »Auf jeden Fall können wir den da ja auch noch zu Rate ziehen, wenn wir ihn schon dabeihaben«, erklärte er. Ungeduldig warteten sie ab, bis die zitternde Kompassnadel endlich zur Ruhe gekommen war. »Tatsächlich – alles passt zusammen.«

Erklärend wandte sich der Polizist zu Monsieur

Malfait und Monsieur Dumont. »Der ursprüngliche Eingang, den die Kinder entdeckt haben, liegt südlich von hier. Wer aus dieser Richtung kommt, kann also den Feuerstellenraum schwerlich durch den Gang erreicht haben, in dem wir uns eben befinden. Sehen Sie«, der Gendarm wies mit dem Zeigefinger auf die Spitze der Kompassnadel, »er führt ziemlich genau nach Norden.«

»Ja, worauf warten wir denn eigentlich noch?« Monsieur Vinaigre war fast noch ungeduldiger als Suzanne und Regis. Er leuchtete in den weiterführenden Gang hinein. »Vorwärts, wir sollten keine Minute verlieren.« Sie hasteten, so rasch es ging, weiter. Als sie die Stelle erreichten, wo erneut mehrere Gänge abzweigten, ließ Monsieur Oscar wieder Tintin suchen. Vor dem mittleren Gang fing der Hund an zu jaulen und zerrte heftig an der Leine.

»Hier muss es weitergehen.« Monsieur Oscar winkte den anderen zu. »Aber diesmal wollen wir unseren Gang, durch den wir kamen, vorsichtshalber kennzeichnen, damit wir ihn auf dem Rückweg gleich wieder finden und es uns nicht so ergeht wie Isabelle.« Suchend blickte er sich um. »Suzanne, Regis, sammelt doch bitte die Steine dort drüben zusammen und schichtet sie in zwei Haufen links und rechts vom Eingang unseres Weges aufeinander.« Im Nu hatten die beiden seine Bitte erfüllt und dann eilten sie weiter.

Es sollte noch mehrmals erforderlich sein für den Rückweg jeweils »ihren« Gang zu markieren. Wo Isabelle und Jaquin aus der blind endenden Höhle wieder zurückgekehrt waren, standen sie erneut vor der Wahl, welcher von den beiden Spuren, die Tintin entdeckt hatte, sie nun zu folgen hatten. »Wir müssen eben beiden nachgehen«, schlug Monsieur Oscar vor, »aber wir bleiben dabei zusammen.«

So gelangten sie schließlich an die Stelle, wo Isabelle und Jaquin hatten umkehren müssen. Es war klar, dass sie nun, wegen der Enge des Gangs hintereinander gehend, nach der Rückkehr in den zuletzt entdeckten Felsensaal dem anderen Gang folgen mussten.

Hin und wieder blieben sie auf Monsieur Oscars Geheiß horchend stehen und riefen dann Isabelles Namen. Aber es kam keine Antwort.

Oder doch? Suzanne, die als Erste hinter Vinaigre mit seinem großen Scheinwerfer ging, packte den Alten plötzlich am Arm seiner zerschlissenen Jacke. »Halt. Haben Sie nichts gehört?«

Vinaigre blieb wie gebannt stehen und reckte lauschend den Kopf vor. Suzanne gab nach rückwärts ein Zeichen und alle verharrten in atemloser Stille. Ja, sie hatte sich tatsächlich nicht getäuscht. Tintin fing vernehmlich an zu knurren, denn was da irgendwo vor ihnen aus der undurchdringlichen Finsternis heraufscholl, das war unverkennbar Hundegebell.

»Jaquin, das kann nur unser Jaquin sein.« Regis hatte es geschrien, noch bevor die anderen ihre Sprache wieder gefunden hatten. Doch nach dieser Schrecksekunde riefen alle wirr durcheinander. Der Alptraum von Angst, der so lange drückend auf ihren Seelen gelastet hatte, schien jählings einer überschäumenden Freude gewichen.

»Isabelle, hier sind wir. Wir kommen.« Suzannes Vater hatte seine beiden Hände wie einen Schalltrichter vor den Mund genommen. »Hallo.«

Das Echo dröhnte ihnen in den Ohren, als sie nun vorwärtsstürmten, so rasch es die Enge und geringe Höhe des Gangs erlaubten. Tintin hätte Monsieur Oscar fast umgerissen und bellte aus voller Kehle. Auch Regis und Suzanne riefen Isabelle. Es war ein Höllenlärm in dieser Enge, der ihnen in den Ohren schmerzte.

Immer deutlicher und lauter mischte sich Jaquins Gebell in das Tintins – und wo sich der Gang endlich etwas erweiterte, fanden sie nicht nur ihren unterirdischen Wasserlauf wieder, sondern an seinem Rand, den Kopf auf den gebeugten Arm gebettet, Isabelle. Der treue Jaquin, der sie nicht einmal jetzt allein gelassen hatte, stand neben ihr und bellte ihnen freudig entgegen.

Aber was war mit Isabelle?

Monsieur Dumont drängte die anderen zur Seite und beugte sich besorgt über seine Nichte. War sie gestürzt und verletzt, vielleicht bewusstlos, weil sie in all dem Lärm immer noch regungslos auf dem Boden lag? Aber er konnte keine Verletzung erkennen. Dennoch erfasste ihn plötzlich wieder Angst. Sollte ihre Freude allzu voreilig gewesen sein? Mit beiden Händen packte er die wie leblos vor ihm liegende Isabelle an den Schultern und rüttelte sie.

Das Mädchen fuhr mit einem schrillen Aufschrei in die Höhe und starrte die vielen Menschen, die um sie herumstanden, aus weit aufgerissenen Augen an.

»Isabelle, wir sind es doch. Du musst keine Angst mehr haben, jetzt ist alles wieder gut.« Suzanne hatte sich vorgedrängt, während Jaquin voll ungebärdiger Freude an Regis hochsprang. Sie fiel ihrer Cousine um den Hals. Nein, sie schämte sich wirklich der Freudentränen nicht, die ihr nun über beide Wangen kullerten. Fest drückte sie Isabelles Kopf gegen ihre Brust.

Aber Isabelles Schrecken schien noch nicht gebannt. Sie löste sich aus Suzannes Umarmung.

»Wo – wo sind sie?«, stammelte sie und blickte furchtsam über ihre Schulter nach hinten.

»Wer denn, Kind?« Monsieur Dumont streichelte ihr beruhigend sanft über das Haar. »Hier sind nur wir und wir sind heilfroh, so froh, Isabelle, dass wir dich endlich wiederhaben.«

»Oh, Onkel Gérard, es war schrecklich, allein hier unten.« Total verängstigt schmiegte sie sich an ihn. »Habt ihr die Kerle verjagt?«

»Welche Kerle denn?« Monsieur Dumont sah sie verständnislos an.

»Die Cromagnon-Menschen, die mich verfolgt haben. Der vorderste packte mich gerade an der Schulter, als ich plötzlich eure Lampen sah.«

»Hier sind keine Cromagnon-Menschen.« Monsieur Malfaits Stimme klang tief und beruhigend aus dem Hintergrund. »Der einzige, den wir gefunden haben neben einer Feuerstelle, ist seit zwanzigtausend Jahren tot und tut niemandem mehr etwas.«

»Aber die Höhlenbären.« Isabelle begann zu zittern. »Ich habe sie doch gesehen, und Jaquin auch, und ganz deutlich ihre Atemwolken, die aus den Lehmbetten herauskamen.«

»Höhlenbären – lebendige?« Monsieur Dumont schüttelte lächelnd den Kopf.

»Ja, bestimmt. Und dann der alte Künstler und die Männer, die vor seinem gemalten Bison herumgetanzt sind.«

»Weißt du was, Isabelle«, Onkel Gérard strich ihr wieder über das Haar, »du hast einen schrecklichen Traum gehabt, sonst ist Gott sei Dank nichts passiert.«

»Einen Traum? Glaubst du wirklich, das alles habe ich nur geträumt und während des ganzen Abenteuers hier gelegen?« Verwirrt blickte sie von einem zum anderen. »Aber ich habe es doch ganz deutlich gespürt, wie mich der Verfolger schon an den Schultern gepackt hielt.«

»Ja.« – Jetzt schien Monsieur Dumont ein Licht aufzugehen. »Gespürt hast du das gewiss, nur war ich es, der dich im selben Augenblick wachgerüttelt hat.«

Isabelle schaute ihn noch immer ungläubig an. »Aber ich habe doch …«

»Was du ganz sicher hast, ist Hunger.« Onkel Malfait, der es ja von Berufs wegen mit dem Stillen des Hungers zu tun hatte, unterbrach sie. »Schau mal.« Er hatte sich neben sie auf den Boden gekniet und streifte jetzt eine Hängetasche von seiner linken Schulter. Ja, der praktisch veranlagte Bäckermeister hatte wirklich an alles gedacht. Zum Vorschein kamen nicht allein belegte Brote, über die Isabelle mit wahrem Heißhunger herfiel, sondern auch eine Thermosflasche mit heißem Tee.

»Hier, Kind, nun wärm dich erst mal ein bisschen auf, du bist ja völlig durchgefroren.«

Doch unvermittelt hörte Isabelle wieder auf zu kauen. »Und Jaquin? Der hat genauso lange nichts bekommen wie ich. Hier, Jaquin, schau mal.« Sie wickelte rasch ein zweites Wurstbrot aus dem Papier. Jaquin brauchte in der Tat nicht erst ermuntert zu werden. Er musste die Wurst schon gerochen haben und unterbrach augenblicklich seine freudige Begrüßung.

Dann zog Onkel Gérard eine kleine, flache Flasche aus seiner Rocktasche und drehte den Verschluss auf. »So, zum Abschluss hiervon noch einen kräftigen Schluck, damit dir auch wirklich rasch wieder warm wird.«

Isabelle gehorchte ohne Widerrede. »Brrr – wie schauderhaft das brennt. Das ist ja ein scheußl... oh, entschuldige, Onkel Gérard, ich weiß ja, du meinst es doch nur gut.«

Monsieur Dumont verschloss die Flasche und ließ sie wieder in seiner Tasche verschwinden. »Ist ja auch eine Ausnahme: Mirabelle* für kleine Mädchen«, schmunzelte er. »Aber nun wollen wir keine Zeit mehr verlieren. Erstens darfst du dich keinesfalls noch länger in dieser Kälte aufhalten und zweitens ist inzwischen wohl schon das ganze Dorf in heller Aufregung – an deine Tanten gar nicht zu denken. Komm, probier mal das Aufstehen, du bist ja sicher ganz steif geworden.« Er fasste sie unter den Armen und half ihr auf die Füße.

»Autsch – ah. Vorsicht, das eine Bein ist einge-

* ein französischer Schnaps

schlafen, ich hab überhaupt kein Gefühl mehr darin.«

»Stampf mal fest auf, ja, richtig – auch wenn's unangenehm prickelt. Du brauchst keine Angst zu haben, damit schlafende Höhlenbären aufzuwecken.« Jetzt lachte wieder der Schalk in seinen Augen.

Doch plötzlich fing Isabelle an zu zittern, diesmal nicht vor Schrecken, sondern weil sie wirklich völlig durchfroren war.

Suzanne zog ihren Anorak aus. »Hier, zieh den noch über, ich lauf mich schon wieder warm. Menschenskind, bin ich aber froh, dass wir dich wiederhaben. Wenn du wüsstest, was wir ausgehalten haben, Philippe, Regis und ich.« Noch einmal umarmte sie ihre Cousine stürmisch und half ihr dann den Anorak anzuziehen.

Zurück ging es diesmal ohne langes Suchen und ohne Pausen zum Rufen oder Horchen doch bedeutend schneller. Regis stürmte, seine Taschenlampe in der Hand, allen voran. Dann folgte Suzanne, die Isabelle, der Jaquin trotz Tintin nicht von den Fersen wich, stützend unter einem Arm gefasst hielt, wo immer es die Breite des Höhlengangs erlaubte. Monsieur Vinaigre stapfte mit der Polizeilampe glückstrahlend hinter den beiden Mädchen her. Mit Recht fühlte er sich als ein Lebensretter. Was wäre denn aus Isabelle und Jaquin geworden ohne »seine« Quelle? Das war gar nicht auszudenken. Seit langer Zeit hatte er endlich wieder einmal das Gefühl eine Aufgabe erfüllt zu haben – ja, sogar eine lebenswichtige Aufgabe.

Den Schluss machte, nach den beiden ebenfalls erleichtert glückstrahlenden Onkel, Monsieur Oscar mit Tintin. Keiner hatte jetzt das Bedürfnis viel zu reden. Alle beseelte nur noch der eine Wunsch: hinaus aus dieser dunklen, kalten Höhle – so rasch wie möglich. Und dann nichts wie nach Hause, wo alle anderen mit Bangen auf Nachrichten warteten.

Wiedersehen mit einem alten Bekannten

Philippe konnte die müde stolpernden Schritte der Zurückkommenden schon eine ganze Weile immer deutlicher hören, bevor endlich Regis, wild mit beiden Armen fuchtelnd und ihm vor Erregung irgendetwas Unverständliches entgegenschreiend, im dunklen Höhleneingang auftauchte. Sein Mund wurde plötzlich so trocken, dass er nicht einmal mehr schlucken konnte. Als er dann endlich Regis' übersprudelndes Gestammel verstand und begriff, dass die Suche erfolgreich verlaufen und Isabelle gefunden war, da schien ihm eine wahre Zentnerlast von der Seele zu fallen.

Nach einer recht stürmischen Begrüßung zerrte Philippe den aufgeschreckten Jeremias am Zügel herbei, warf ihm eine zusammengelegte Decke über den knochigen Rücken und half seinem Vater die in der ungewohnten, hellen Sonne geblendet blinzelnde Isabelle behutsam draufzuheben.

»Halt dich nur an seiner Mähne fest, ich führe ihn schon«, beruhigte er seine erschöpfte Cousine. Was für ein Glück, dass er sein geduldiges Maultier mitgebracht hatte. In ihrem Zustand hätte Isabelle den weiten und beschwerlichen Heimweg niemals geschafft – und ein Auto wäre ja in diesem weglosen Gelände überhaupt nicht zu gebrauchen. Wenn ihre Onkel sie auf beiden Seiten etwas stützten, musste sich Isabelle auf Jeremias so sicher wie in einer Sänfte fühlen. Der Brave setzte seine Hufe so vorsichtig zwischen die herumliegenden Geröllsteine, als wüsste er genau, worauf es jetzt besonders ankam – und dass er auf gar keinen Fall stolpern durfte.

Es wurde beinahe so etwas wie ein Triumphzug. Der alte Vinaigre an der Spitze trug seine Hacke wie ein Gewehr geschultert, Regis und Suzanne unmittelbar hinter ihm machten es mit ihren Schaufeln ebenso und Monsieur Oscar bildete mit der zweiten Spitzhacke die Nachhut.

Die Nachricht von Isabelles Verschwinden und der verzweifelten Suchaktion musste sich wie ein Lauffeuer im ganzen Dorf verbreitet haben, ganz gewiss nicht ohne die Schuld Céciles, die natürlich mit der aufregenden Neuigkeit spornstreichs zu allen ihren Freundinnen gerannt war, als ihr Vater mit der Suchmannschaft kaum außer Sicht war.

Inzwischen hatte auch der endlich heimgekehrte Bürgermeister Monsieur Oscars Nachricht vorgefunden und kam nun mit einigen Feuerwehrmännern, den beiden Tanten Isabelles, die es nicht mehr länger zu Hause gehalten hatte, sowie zahlreichen hilfsbereiten Nachbarn und Freunden

gerade über die Flussbrücke geeilt, als Vinaigre oben auf dem Kamm des Hügels auftauchte. Er stieß einen weithin hallenden Freudenschrei aus und schwenkte die Spitzhacke hoch über seinem Kopf, als wäre sie eine Fahne.

Nach atemloser Jagd über Stock und Stein trafen die beiden Trupps aufeinander und jeder wollte natürlich der Erste sein, der die Wiedergefundene beglückwünschte.

»Nun lasst aber bitte noch etwas von ihr übrig«, rief Onkel Gérard schließlich. »Denkt daran, was das Mädchen alles hinter sich hat. Nun braucht sie zuallererst mal ein heißes Bad, ein kräftiges Essen und dann nichts wie ins Bett mit ihr und tüchtig ausschlafen.«

Er hatte seine liebe Not die ungestüm von allen Seiten auf ihn einstürmenden Fragen zu beantworten. Aber ja doch, sie hatten einen anderen Zugang zu der anscheinend recht weitläufigen unterirdischen Höhle entdeckt, und zwar nur dank der Hilfe von Monsieur Vinaigre. Nein, Isabelle schlief ganz tief, als sie sie endlich, durch Tintins vorzügliche Spürnase, in dem verborgenen Höhlenwinkel fanden, in dem sie mit Jaquin Zuflucht gesucht hatte. Sie selbst hatten sich trotz der vielen verwirrend verzweigten Gänge nicht verirrt, weil Monsieur Oscar ja einen Kompass dabeihatte und außerdem Tintin immer wieder die Spur der Gesuchten fand und zielsicher verfolgte. Aber Angst? Doch, Angst, eine geradezu lähmende Angst hatte sie befallen, als sie schließlich das Kind so leblos auf dem kalten Felsboden liegen sahen. Nun war jedoch alles, alles wieder gut.

Isabelle schlief wie ein Murmeltier bis weit in den nächsten Morgen hinein. Die Sonne stand schon recht hoch am Himmel und malte durch die Blätter der Baumkronen vor ihrem Fenster helle Lichtkringel auf Wände und Bett, als sie endlich verwundert die Augen aufschlug.

Suzanne hockte, noch im Nachthemd und mit Pantoffeln, zusammengekauert auf einem Stuhl dicht neben ihr und hielt ein Tablett mit Isabelles Frühstück auf den Knien.

»Hallo, Isabelle. Hast du eine Ahnung, wie lange du geschlafen hast? Fast fünfzehn Stunden an einem Stück. Komm, heute darfst du im Bett frühstücken, aber danach erzählst du mir alles, ja?«

Doch darum brauchte sie Isabelle nicht erst lange zu bitten. Die empfand es offensichtlich als eine Erleichterung, dass sie sich endlich einmal ganz offen über ihr unterirdisches Abenteuer, all ihre vergeblichen Hoffnungen und die furchtbare Angst, die sie ausgestanden hatte, bei ihrer Cousine aussprechen konnte. Es sprudelte nur so aus ihr heraus, als sie schon während des Frühstücks mit dem Erzählen begann.

»Weißt du, was eigentlich das Allerallerschlimmste war?«, fragte sie Suzanne und schob das Tablett von sich, »viel schlimmer als der schreckliche Traum?«

Suzanne schaute sie erwartungsvoll an. »Vielleicht als du merktest, dass du die Richtung verloren hast und den Rückweg nicht mehr finden konntest?«, vermutete sie.

»Ja, das war ein Schock, kann ich dir sagen.

Aber das Schlimmste war doch, als die Leiche schreien wollte.«

Suzanne hätte beinahe das Tablett mit Tasse und Tellern fallen lassen, das sie nun wieder auf ihren Knien hielt. »Was? Eine Leiche hat geschrien? Du hast eine Leiche in der Höhle gefunden?«

»Nicht eigentlich eine richtige Leiche«, verbesserte sich Isabelle, »aber ein Menschenskelett. Ihr müsst doch an dem Steingrab vorbeigekommen sein, in dem kleinen Felsensaal mit einer Feuerstelle der Cromagnon-Jäger in der Mitte.«

»Ja, natürlich!«, unterbrach sie Suzanne. »Eigentlich hätten wir uns gar nicht so sehr darüber wundern sollen, dass neben einer Feuerstelle gleich ein Grab war. Steht das nicht in unserem Buch, dass die Cromagnon-Menschen ihre Toten oft in der Nähe so einer Feuerstelle begraben haben? Ob die wohl gemeint haben, die Wärme würde den Toten wieder lebendig machen? Als wir das Grab entdeckten, waren ein paar Steinplatten, mit denen es zugedeckt war, abgehoben, daran haben wir gemerkt, dass du da gewesen sein musst! Seit fast zwanzigtausend Jahren war ja sonst kein Mensch mehr dort unten gewesen.«

»Genauso war es ja auch. Aber stell dir vor: Genau in dem Augenblick, als ich die schwerste Steinplatte anhob und darunterschaute, muss sich durch die Erschütterung der Unterkiefer vom Schädel gelöst haben. Jedenfalls klappte er plötzlich nach unten gegen die Brust. Oh, Suzanne, so habe ich mich in meinem ganzen Leben noch nicht erschrocken.« Isabelle schüttelte sich förmlich. »Es sah wirklich so aus, als wollte das Skelett laut schreien und dagegen protestieren, dass es in seiner Grabesruhe nach so langer Zeit gestört wurde. Ich bin aufgesprungen und einfach kopflos davongerannt ohne darauf zu achten, an wie viel abzweigenden Gängen ich vorüberlief. Den armen Jaquin habe ich an der Leine hinter mir hergerissen, dass ihm fast die Luft ausgegangen wäre.«

Suzanne war aufgesprungen und hatte sich zu Isabelle aufs Bett gesetzt. Mitfühlend legte sie ihr beide Arme um die Schultern. »Komm, denk nicht mehr daran.« Sie strich ihrer Cousine sachte über das Haar. »Schau, die Sonne scheint und am hellen Tag braucht sich doch niemand vor uralten Totenknochen zu fürchten. Die liegen jetzt weit weg und tief unter der Erde.« Sie sprang auf, stellte das Tablett auf den Toilettentisch und riss den Fenstervorhang zur Seite, so dass das Sonnenlicht nun ungehindert in das freundliche Zimmer flutete.

Jetzt streckte auch Suzannes Mutter den Kopf durch den Türspalt. »Ja, Kind, bist du wach? Hast du dich richtig ausgeschlafen?« Sie beugte sich über das Bett und drückte Isabelle fest an sich. »Ist alles in Ordnung?«, fragte sie mit einem besorgten Blick und legte ihrer Nichte die Hand auf die Stirn. »Nein, Fieber hast du bestimmt nicht. Gott sei Dank, ich habe mir schon solche Sorgen gemacht, du könntest dir in der kalten Höhle wer weiß was geholt haben.«

»Oh, Tante, es geht mir prima. Ich bin so froh, dass ihr jetzt alle wieder bei mir seid.«

»Das glaub ich dir, Isabelle, wir sind nicht weniger glücklich und dankbar als du, dass alles am Ende doch noch gut ausgegangen ist. Ich darf überhaupt nicht daran denken, wie es gewesen wäre, wenn ich deinen Eltern so eine schlimme Nachricht hätte beibringen müssen. Aber jetzt zieh dich rasch an, unten wartet eine Überraschung auf dich.«

»Eine Überraschung? Welche denn?«

»Wird nicht verraten, dann wäre es ja keine Überraschung mehr. Aber ich glaube fast, du wirst am Ende noch eine Berühmtheit.«

Da gab es freilich kein Zögern mehr. Im Nu war Isabelle aus dem Bett, hatte sich gewaschen und angezogen und rannte mit Suzanne Hals über Kopf die Treppe hinab und zur Apotheke über den Hof. Die Überraschung sollte nämlich, das hatte ihnen Suzannes Mutter aus der Küche noch zugerufen, dort im gemütlichen Hinterstübchen auf sie warten.

Und wirklich: Es war eine tolle Überraschung. Neben Onkel Gérard stand, ganz in ein Gespräch über dessen kleine Sammlung steinzeitlicher Werkzeuge mit ihm vertieft, kein anderer als – der freundliche Herr aus dem Zug. Als er die hastenden Schritte hinter sich hörte, drehte er sich um. Sein gutmütiges Gesicht strahlte, während er Isabelle beide Hände entgegenstreckte. Die war völlig perplex mitten im Zimmer stehen geblieben und sah ihn mit offenem Mund an.

»Da ist sie ja endlich, unsere Höhlenforscherin. Herzlichen Glückwunsch, Isabelle. Aber bleib so, wie du warst, als wir uns kennen lernten«, drohte er lächelnd mit erhobenem Zeigefinger, »und werde mir bitte nicht eingebildet, wenn der Rummel jetzt losgeht.«

Isabelle, die seinen Händedruck etwas verwirrt erwiderte, blickte fragend zu ihrem Onkel auf.

»Ja nun«, begann der und räusperte sich. »Weißt du, die Leute von den Zeitungen werden wohl kaum lange auf sich warten lassen und die Fotoreporter natürlich ebenso wenig. Übrigens: Ich habe dir ja unseren Besuch noch gar nicht vorgestellt. Dein Reisebekannter ist Dr. Antony, der Direktor des Museums für Vor- und Frühgeschichte in unserer Kreisstadt.«

»Oh, deshalb konnten Sie mir damals alles so genau erklären«, staunte Isabelle. »Dafür kann ich Ihnen jetzt viel erzählen.«

»Deshalb bin ich ja auch gleich hierher gekommen, als Bürgermeister Rouet mit mir telefonierte und von der Entdeckung berichtete«, meinte Dr. Antony. »Wenn der alte, zuerst von euch entdeckte Eingang wieder freigelegt ist, dann musst du mir mit deinen Freunden alles genau zeigen, was ihr dort gefunden habt.«

Isabelle staunte. »Ist das wirklich möglich? Wie soll denn unser alter Eingang zwischen den Wacholderbüschen wieder geöffnet werden, der ist doch bis oben hin voller Schutt und Schlamm?«

»Die Feuerwehrleute sind schon seit ein paar Stunden an der Arbeit. Wir haben nämlich endlich einen Bagger hinschaffen können, so einen auf einer ›Raupe‹, der sogar auf diesem unwegsamen Boden beweglich ist. Dadurch lässt sich der Eingang viel rascher freilegen als durch mühsames Hacken und Schaufeln«, erklärte Onkel Gérard. »Philippe und Regis haben übrigens Herrn Direktor Antony schon einen recht genauen Bericht über eurer Abenteuer gegeben. Nur was du ganz allein erlebt hast, musst du natürlich selbst erzählen.«

Nein, dazu brauchte niemand Isabelle extra aufzufordern. Gespannt hörte Dr. Antony ihrem Bericht zu, unterbrach ihren Redefluss hier und da durch eine Frage und machte sich unaufhörlich Notizen.

»Unglaublich, ganz unglaublich«, murmelte er hin und wieder zwischen den Zähnen und schüttelte seinen Kopf, als könne dies alles gar nicht wahr sein. »Das ist nicht nur als Abenteuer eine Sensation, lieber Monsieur Dumont«, wandte er sich an Onkel Gérard, als Isabelle endlich fertig war mit Erzählen, »sondern zweifellos auch wissenschaftlich. Ich muss mit den Kindern so schnell wie möglich hinunter in die Höhle.« Aber auf einmal wurde das freundliche Gesicht des Museumsdirektors ganz ernst. Er legte Isabelle beide Hände auf die Schultern und sah ihr fast streng in die Augen. »Eines muss doch noch gesagt werden, Isabelle.« Er räusperte sich und seine Stimme klang fast beschwörend. »Ihr hättet auf gar keinen Fall allein und ohne euren Eltern etwas davon zu sagen in die unbekannte Höhle klettern dürfen! Ich darf gar nicht daran denken, was euch dort unten noch alles hätte passieren können. Weißt du eigentlich, dass in jedem Jahr Menschen bei solchen unbedachten Abenteuern ums Leben kommen? Sie wagen sich in unerforschte Tiefen vor, stürzen dabei ab oder es überrascht sie ein Gewitter mit starken Regenfällen, von dem sie so lange gar nichts merken, bis das Wasser der Höhlenflüsse plötzlich ansteigt und ihnen den Rückweg abschneidet! Stell dir das doch nur einmal vor! Du bist bei lebendigem Leib in einer tiefen, dunklen Höhle gefangen und weißt, dass es keinen Rückweg mehr für dich gibt. Ihr hättet eure Entdeckung sofort melden müssen, ich wäre selbst mit euch gekommen und hätte noch ein paar erfahrene Höhlenforscher mitgebracht! Also, versprich mir« – und jetzt blitzte schon wieder der Schalk aus seinen Augen – »dass ihr mich sofort verständigt, wenn ihr die nächste Höhle entdeckt habt!«

Isabelle musste schlucken. Nun war ihr doch der Schreck in die Glieder gefahren. Mit großen Augen sah sie zu Dr. Antony auf und reichte ihm dann zögernd die Hand. »Ehrenwort«, stammelte sie verschämt, »wir machen so was bestimmt nie wieder, ich verspreche es, auch für die anderen!«

Als dann die Reporter kamen, war das Apothekenhinterzimmer viel zu eng für das Interview, zumal inzwischen auch Philippe und Regis dabei waren. Alle vier wurden nun auf dem geräumigen Hof von den Zeitungsberichterstattern umringt und ausgiebig über alle Einzelheiten befragt. Vor dem Zaun drängte sich die gesamte Dorfjugend und schaute ein ganz klein wenig neidisch zu. Dann stürzten sich die Pressefotografen mit ihren Apparaten und Blitzlichtern auf die vier »Höhlenforscher«. Immer wieder mussten sie sich anders aufstellen und gruppieren.

Dann kam die gesamte Rettungsmannschaft an die Reihe, einschließlich Jeremias, und Vinaigre holte extra noch einmal die schwere Spitzhacke um sie lässig, aber doch mit stolzgeschwellter

Brust über die Schulter zu legen. Monsieur Oscar hatte nicht versäumt die Rolle des Alten als Entdecker des zweiten Eingangs rühmlich hervorzuheben. Schließlich war es ja Vinaigre zu verdanken, dass doch noch alles zu einem guten Ende gekommen war. Das sollten die Zeitungen unbedingt auch bringen.

Am frühen Nachmittag hatte es dann der Bagger endlich geschafft. Der verschüttete Eingang zwischen den Wacholderbüschen war wieder freigelegt. Doch als am Grund des ausgeräumten, nun wesentlich breiteren Schachtes die dunkle Öffnung der Felsenhöhle sichtbar wurde, erlebten die Feuerwehrmänner einen nicht geringen Schrecken. Eine schwarze Wolke wild flatternder Fledermäuse, viele, viele Hunderte aufgeschreckt durcheinander quirlender Tiere, quollen förmlich ins Freie und verdunkelten für einen Augenblick den klaren Sommerhimmel über dem Gebüsch. Anscheinend waren sie ihrer alten Gewohnheit treu geblieben und hatten immer wieder vergeblich versucht ihre Schlafhöhle durch den früher benutzten, nun aber versperrten Ausgang zu verlassen, statt sich einen anderen Weg ins Freie zu suchen.

Als dann eine starke Leiter hinabgelassen wurde, durften zuerst die Kinder mit Dr. Antony, mit dem Bürgermeister und natürlich Monsieur Oscar in »ihre« Höhle hinabklettern. Diesmal hatten sie besonders starke Karbidlampen mitgenommen, die zwar etwas stanken, aber doch viel heller leuchteten als Kerzen oder sogar Taschenlampen. Noch einmal schilderten sie, ständig einander in die Rede

fallend und ergänzend, ihre Erlebnisse, nur dass sie jetzt alles auch an Ort und Stelle zeigen konnten: den Höhlenbärenschädel, den Dr. Antony fast ehrfürchtig betastete ohne ihn von seinem Platz zu rücken, die verschiedenen Werkzeuge und schließlich die herrlichen Gemälde im »Bildersaal«. Der Museumsdirektor wiederholte immer und immer wieder: »Kinder, Kinder, das ist ja unglaublich.«

Ehrfurchtsvoll leuchtete er jedes Gemälde ab und zeigte aufgeregt besondere Einzelheiten, die ihnen vorher noch gar nicht aufgefallen waren. Nein, es war wirklich nicht einfach ihn wenigstens so lange von den Bildern loszureißen, bis er sich auch die Fußstapfen jenseits des unterirdischen Gewässers angesehen hatte. Aber als ihn die Kinder an diese seltene Entdeckung erinnerten, scheute er nicht einmal das kalte Wasser, krempelte seine Hosenbeine hoch und watete tapfer mit hindurch.

Sie merkten überhaupt nicht, wie lange sie schon in der Höhle waren. Monsieur Oscar, der immer korrekte Polizist, machte sie schließlich darauf aufmerksam, dass es »droben« wohl schon dämmern müsse.

Aber selbst dann kostete es noch einige Überredungskunst den begeisterten Wissenschaftler abermals von den Bildern zu trennen. »Als Erstes muss die Höhle unbedingt verschlossen werden, damit nicht jeder nach Belieben hier hinunterklettern kann. Heute mag es noch genügen, dass wir die Leiter wieder hochziehen und mitnehmen. Aber später, wenn erst eine richtige Treppe gebaut ist, brauchen wir ein starkes Eisentor.«

Suzanne drehte sich nach ihm um. »Aber die

Fledermäuse?«, fragte sie, »wie sollen die dann aus- und einfliegen können?«

»Gar nicht mehr«, meinte Dr. Antony. »Die müssen sich eben eine andere Höhle suchen, es gibt ja genug Felsspalten hier in der Gegend. Darum braucht ihr euch wirklich nicht zu sorgen. Nein, wenn die Höhle erst für die Öffentlichkeit freigegeben wird, dann können wir hier keine Fledermäuse mehr gebrauchen. Übrigens muss natürlich auch der andere Eingang verschlossen werden. Was ihr da gefunden habt, das schauen wir uns dann morgen einmal an.«

Aber am nächsten Morgen waren sie zunächst einmal voll damit beschäftigt, alle nur erreichbaren Zeitungen durchzublättern und zu lesen, was darin über ihre Entdeckung und die vielen Interviews vom Tag zuvor berichtet wurde. Ja, es war tatsächlich so, überall prangten ihre Fotos gleich auf der ersten Seite, neben Überschriften in besonders fetten Lettern: »Sensationelle Entdeckung einer vorgeschichtlichen Höhle.« Oder: »Gefährliches Abenteuer unter der Erde – Kinder als Eiszeitforscher.« So und ähnlich lauteten die Schlagzeilen.

Vinaigre, der diese Nacht im Anbau schlafen durfte, kam eine Zeitung schwenkend über den Hof. »Habt ihr das schon gesehen? Unser Bild ist sogar in den ganz großen Tageszeitungen abgedruckt und all unsere Namen stehen drin.« Stolz breitete er die Blätter auf dem Frühstückstisch aus. »Jetzt wird unser kleines Dorf noch berühmt – ihr werdet's schon erleben.«

Später waren sie dann mit Dr. Antony, der erst gegen Abend wieder nach Hause reisen wollte, durch den zweiten Eingang bis an das Grab neben der Feuerstelle gegangen. Er hatte sich auf den Boden gekniet und ganz, ganz sachte die restlichen Steinplatten über dem Skelett abgehoben. »Es muss eine junge Frau gewesen sein. Seht ihr da die vielen kleinen Schneckenhäuser um die Halswirbel und die obersten Rippen liegen? Sie sind alle durchbohrt, waren also einmal auf eine Schnur oder Sehne gereiht zu einer Halskette.«

»Woran sieht man aber, dass die Frau noch jung war?«, wollte Suzanne wissen.

»An den Zähnen.« Dr. Antony fuhr zart mit dem Zeigefinger über die lückenlose Zahnreihe des herabgeglittenen Unterkiefers. »Sie sind überhaupt noch nicht angekaut und an ihren Kronen abgeschliffen wie bei älteren Menschen und hier hinten brachen die Weisheitszähne gerade erst durch. Älter als achtzehn Jahre dürfte das Mädchen kaum gewesen sein. Aber hier, schaut euch das mal an.« Er hob eine etwa faustgroße, flache Steinschale in die Höhe, auf der ein Bröckchen rötlichen Ockers lag, kaum größer als ein Stück Würfelzucker. »Wahrscheinlich diente dieser Ocker zum Bemalen des Körpers, zum Schminken würde man heute sagen. Und hier, neben dem Hüftknochen, das lange, schmale Steinbruchstück – ist eine Messerklinge. Sie sollte wohl zum Ablösen des Fleisches von dem Rinderknochen dort gebraucht werden. Die Cromagnon-Menschen haben ihre Toten ja nicht nur liebevoll bestattet – hier, seht ihr, wie der Schädel auf einen geglätteten Stein gebettet ist wie auf ein Kissen? –, sondern ihnen auch Nahrung, Schmuck, Werkzeuge, Waffen und

Schminke mitgegeben. Das alles beweist uns heute noch, dass man damals in der Eiszeit an ein Weiterleben nach dem Tod glaubte.«

Isabelle nickte. »Ja, Regis hat uns das auch schon einmal erklärt. Aber jetzt, wo man das alles nicht nur in Büchern liest, sondern so direkt miterlebt und vor sich sieht, ist es doch viel überzeugender. War die Tote auch gefesselt, damit sie nicht zu den Lebenden zurückkonnte und sie erschreckte?«

»Vermutlich, denn sie liegt ja in Hockstellung mit angezogenen Knien. Aber von den Stricken selbst ist natürlich nichts übrig geblieben, so dass man es nicht mit Sicherheit sagen kann. Die eigenartige Hockstellung kann auch eine Nachahmung der Lage eines ungeborenen Kindes im Leib seiner Mutter sein, gewissermaßen als Symbol der ›Wiedergeburt‹ der Toten in einer anderen Welt.«

Dr. Antony sah auf seine Uhr. »Kommt, wir wollen sie wieder so zudecken, wie sie fast zwanzigtausend Jahre lang ungestört gelegen hat. Später, wenn die Höhle erst einmal zur Besichtigung freigegeben wird, lassen wir an Stelle der Decksteine eine Glasplatte anbringen, genauso wie über den Fußspuren im vorderen Teil der Höhle. Hoffentlich wird noch ein kürzerer Verbindungsgang gefunden, dann können die Besucher alles während einer einzigen Führung zusammen betrachten.«

Als sie an der Feuerstelle vorüberkamen, bückte sich Dr. Antony, suchte ein Stück verkohltes Holz aus der Asche und steckte es in eine kleine Plastiktüte. Als er Regis' verständnislosen Blick bemerkte, meinte er: »Das braucht man für eine genaue Altersbestimmung. Im Labor können wir heute aus dem Gehalt an radioaktivem Kohlenstoff in Holz, Knochen- oder Lederresten feststellen, wie viel Zeit vergangen ist, seitdem diese organischen Reste abgestorben sind. Radiokarbonmethode nennt man das, falls ihr einmal danach gefragt werden solltet.«

Jaquin war – müßig das extra zu betonen – natürlich immer mit von der Partie. Isabelle brauchte ihn gar nicht erst zu rufen, denn er wich überhaupt nicht mehr von ihrer Seite. Sogar wenn gegessen wurde, hockte er so dicht wie möglich neben ihrem Stuhl und nachts schlief er neuerdings auf dem Fußteppich neben ihrem Bett. Das hätten Suzannes Eltern zwar sonst wohl kaum erlaubt, aber wer könnte es übers Herz bringen Isabelles treuen Begleiter und Trost in der Verlassenheit einer ausweglosen, finsteren Höhle von ihrer Seite zu verjagen? Nicht auszudenken, was sie ohne den Hund an Ängsten und Verzweiflung auszuhalten gehabt hätte. Außerdem: Wer weiß, ob Tintin und die Suchmannschaft Isabelle überhaupt gefunden hätten, wäre Jaquin nicht bei ihr gewesen. Nicht einmal Suzanne und Regis waren eifersüchtig, obwohl Jaquin doch schließlich ihr Hund war und jetzt nur noch Augen und Ohren für Isabelle zu haben schien.

»Menschenskind, wenn man überlegt, was ihr beide zusammen erlebt und überstanden habt«, meinte Suzanne nachdenklich am Abend, als sie schon in ihren Betten lagen und der Hund sich bequem auf Isabelles Vorleger zurechtgekuschelt hatte, »dann kann ich es ihm wirklich nicht verübeln, dass er jetzt so an dir hängt.«

»Und das beruht auf Gegenseitigkeit – nicht wahr, Jaquin?« Isabelle ließ eine Hand aus dem Bett baumeln und kraulte ihren verlässlichen Wächter zärtlich zwischen den Ohren.

Ein Telefonanruf mit Folgen

Aber der schlimmste »Betrieb«, wie Suzanne das nannte, sollte ihnen doch erst noch bevorstehen. Von Tag zu Tag häuften sich die Anfragen von überall her und immer wieder andere Fachleute aus Museen und Universitäten reisten an. Bürgermeister Rouet musste schließlich im Rathaus ein Zimmer als Auskunftsbüro zur Verfügung stellen um alles organisieren und den immer stärker anschwellenden Besucherstrom einigermaßen geordnet durch die Höhle führen zu können. Auch das Fernsehen rückte mit einem Aufnahmewagen an und schon am nächsten Abend sahen sich die vier dann tatsächlich auf dem Bildschirm: in der Höhle vor den Eiszeitmalereien, mit Jaquin neben dem Höhlenbärenschädel und Regis, wie er tief gebückt mit dem Finger auf die Fußstapfen der Cromagnon-Jäger deutete.

Und dann endlich gelang es am dritten Tag spät abends Isabelles Vater mit seinem Telefonanruf aus Bordeaux durchzukommen. Es war schier zum Verzweifeln, weil jedes Mal schon bei der Vorwahlnummer das Besetztzeichen ertönte, wenn er es versuchte. Aber schließlich hatte er es doch geschafft und Isabelle war im Schlafanzug die Treppe hinuntergehastet um ein langes, atemloses Ferngespräch mit ihren Eltern zu führen.

»Du, stell dir vor«, rief sie noch von der Treppe her ihrer Cousine zu und warf dann mit einem energischen Ruck die Tür hinter sich ins Schloss: »Ich hab einen Wunsch frei.« Suzanne setzte sich in ihrem Bett auf. »Was soll denn das nun wieder bedeuten?«

»Ach, das ist so ein alter Brauch bei uns, wenn wir irgendwas Besonderes geleistet haben, eine Eins in Mathe oder so. Dann dürfen wir uns was wünschen. Nichts Großes, natürlich – aber diesmal, hat mein Vater gesagt, diesmal dürfte es schon ein bisschen was Größeres sein. So froh ist er, dass mir nichts passiert ist, und natürlich auch stolz, weil sogar in Bordeaux die Zeitungen Bilder von uns und einen ausführlichen Bericht über unsere Entdeckungen gebracht haben. Die Fernsehsendung haben meine Eltern dann auch gesehen.«

»Und was wünschst du dir jetzt?« Suzanne schaute sie erwartungsvoll an.

»Ach, das muss ich mir erst noch ein wenig überlegen. Ich wollte schon so lange ein Zelt, aber das war natürlich nur für gute Noten viel zu teuer.« Nachdenklich begann sie Jaquin, der wieder ausgestreckt vor ihrem Bett lag, zu streicheln. Suzanne sprang so überraschend aus den Federn zu Isabelle hinüber, dass der Hund erschreckt in die Höhe fuhr. »Ich hab's«, rief sie triumphierend.

»Was hast du?« Isabelle machte etwas Platz und blickte sie gespannt an.

»Wünsch dir doch Jaquin.« Suzanne packte ihre Cousine an beiden Armen und schüttelte sie leicht vor Begeisterung. »Hast du mir nicht einmal erzählt, wie lange du dir schon einen Hund wünscht? Wo ihr wohnt, ist ein Hund doch gar kein Problem.«

Isabelle war sprachlos und musste erst einmal schlucken, bevor sie hervorstieß: »Das ... das ... meinst du das im Ernst?«

»Aber natürlich, wo ihr beiden doch so unzertrennlich seid.«

»Und was wird Regis dazu sagen? Der hat ja schließlich auch noch ein Wort mitzureden.«

»Lass mich nur machen. Was soll er denn mit einem Hund anfangen, der immer nur dir nachtrauert? Hier im Dorf kann er sich junge Hunde aussuchen, so viel er will.«

Und genauso kam es denn auch. Da versprochen nun einmal versprochen ist, hatten auch Isabelles Eltern nichts dagegen einzuwenden. Suzannes Vater spendierte ein nagelneues »städtisches« Halsband nebst echter Lederleine als Abschiedsgeschenk und es fällt schwer zu sagen, wer nun von den beiden glücklicher war über diesen Gang der Dinge, Isabelle oder ihr Hund. Beim Abschied am Bahnhof gegen Ende der Ferien gab es Tränen – auf beiden Seiten. Aber dann, als der Zug schon anrückte, wischte sich Isabelle energisch mit der Faust über die nassen Augen. Weit beugte sie sich aus dem Fenster des Abteils, Jaquins breiten Kopf unterm Arm, so dass er auch noch einmal hinausschauen konnte. »Es gibt ja wieder Ferien«, rief sie und winkte mit der freien Hand, »noch viele, viele Male.«

Der Rest ist schnell erzählt. So rasch es ging, baute man eine richtige, feste Steintreppe hinab zum Höhleneingang, der durch ein starkes Eisentor verschlossen werden konnte. Eine Lichtleitung durch die Gänge, auch den neuen Verbindungsgang zum zweiten Eingang, der inzwischen durchgebrochen worden war, und durch die verschiedenen Felsensäle, die allesamt von Geröll geräumt und nun bequem zu begehen waren, wurde in aller Eile gelegt. Besonders starke Scheinwerfer waren so hinter Stalaktiten angebracht, dass sie wie auf einer Theaterbühne bestimmte Einzelheiten im wahrsten Wortsinn, »ins rechte Licht rückten« – zum Beispiel den Höhlenbärenschädel oder die Bilder der Bisons, Mammute und Wildpferde.

In dem schmuck uniformierten Höhlenführer, der den täglich andrängenden Besuchern nicht nur die Funde, ihre Bedeutung und ihr Alter erklarte, sondern auch die seltsame Geschichte ihrer Entdeckung erzählte, hätte kaum noch jemand den alten Vinaigre erkannt. Die Dorfgemeinschaft hatte nicht vergessen, dass der gute Ausgang des Abenteuers und damit auch der junge Ruhm ihres Ortes eigentlich ja nur ihm zu verdanken war, und ihm diesen schönen und auch einträglichen Posten überlassen. Natürlich hatte er auch eine Wohnung bekommen und sein Name war sozusagen nur noch ein Nachklang aus früheren Zeiten. Nein, er war kein Trinker mehr, der nicht einmal vor dem sauersten Wein, dem reinsten »Vinaigre« zurückschreckte. Freilich: Sein Gläschen einheimischen, guten Roten trank er noch, wenn er jeden Tag bei einer anderen Familie als gern gesehener Gast mit am Tisch saß, wie es ebenfalls vereinbart war. Aber betrunken, so wie früher, hat ihn niemand mehr gesehen. »Schließlich«, so erklärte er das einmal selbst, »schließlich bin ich jetzt ja eine Amtsperson.«

Ja, Vinaigre nahm das alles sehr ernst, vom Karten- und Andenkenverkauf in dem neu erbauten Kiosk neben der Treppe zur Höhle bis zum Wortlaut seiner Erklärungen. Dr. Antony, der die Höhle noch oft besuchte, hatte ihm alles aufgeschrieben und Vinaigre lernte es Wort für Wort auswendig.

dtv junior

Lese-Abenteuer
Abenteuer Lesen

Die 13-jährige Isabelle verbringt ihre Ferien bei Verwandten in Südfrankreich. Bei einem Ausflug findet sie zusammen mit ihren Vettern und ihrer Cousine den Eingang zu einer eiszeitlichen Höhle. Darin entdecken die Jugendlichen 20 000 Jahre alte Zeugnisse der Cromagnon-Menschen: Skelette, Werkzeuge und wunderschöne Höhlenbilder! Doch dann geschieht etwas Entsetzliches! Durch einen Erdrutsch wird Isabelle von den anderen abgeschnitten ...

Mehr von Isabelle und ihrer Cousine Suzanne in ›Die grüne Maske‹

Deutscher Taschenbuch Verlag

ISBN 3-423-70144-7

9 783423 701440
DM 10,50 öS 77,–